D0349635

VEILIG BROMMEN EN SNORREN

LEERBOEK EN OEFENBOEK VOOR HET RIJBEWIJS AM

ZEVENDE DRUK

UITGEVERIJ SMIT

Dillenburgstraat 27b 5652 AM Eindhoven
Tel: 040-2047556
Internet: www.rijschoolservice.nl
E-mail: info@rijschoolservice.nl

7e Herziene druk

ISBN 978 90 72967 34 3
Uitgave van:
Uitgeverij Smit
5605 LS Eindhoven
Tel: 040-2047556
Fax: 040-2047948
Internet: www.rijschoolservice.nl
E-mail: info@rijschoolservice.nl

Samenstelling:
Uitgeverij Smit

Tekst en layout:
Uitgeverij Smit

Fotografie:
Uitgeverij Smit

Bewerkt door:
Joop de Hoog

V O O R W O O R D

Het met succes afleggen van het theorie-examen voor de bromfiets betekent dat je de leerstof grondig onder de knie moet hebben.

Dit bevordert je zelfvertrouwen voor het examen en het noodzakelijke verkeersinzicht voor een veilige verkeersdeelneming.

Het theorie-examen bestaat uit 50 vragen waarvan je er minstens 44 goed moet beantwoorden. De vragen worden via monitoren gepresenteerd en moeten beantwoord worden door middel van een antwoordkastje.

Het examen bestaat uit zogenaamde 'JA/NEE vragen', enige 'meerkeuzevragen' (multiple choice) en "open vragen". Om de "JA/NEE vragen" te beantwoorden moet je gebruik maken van de Ja en Nee toetsen op het antwoordkastje. Bij 'meerkeuzevragen' heb je de beschikking over een A, B en C knop. 'Open vragen' zijn vragen over maten, gewichten en snelheden. Deze moet je beantwoorden met de cijfertoetsen 0 tot en met 9 en de 'komma'. Je moet altijd het meest goede en volledige antwoord geven.
Een fout antwoord kun je binnen de gestelde tijd wissen met de gele wisknop en je kunt hierna een nieuw antwoord intoetsen.

Dit boek is, door toevoeging van 5 oefenexamens, een uitstekend hulpmiddel om de verworven kennis te testen en je volledig vertrouwd te maken met de audio-visuele theorie-examen methode.

Regelmatig worden er door het CBR nieuwe vragen toegevoegd aan het theorie-examen AM.
Als aanvulling zijn de oefenvragen en nieuwe regels, die nog niet in de boeken en op onze cd-rom zijn verwerkt, te vinden op onze website.
Kijk, voor een optimale voorbereiding op het theorie-examen, op
www.rijschoolservice.nl/aanvullingen.html
U kunt deze aanvulling hier gratis ophalen.

De auteur en de uitgever wensen je veel succes met het behalen van je rijbewijs AM.

NOTITIES

Inhoudsopgave

1. Veiligheid en milieu

Veiligheid

Volgens officiële cijfers vinden er jaarlijks circa 13.000 verkeersongevallen plaats waarbij doden of ernstig gewonden vallen. Ernstig gewonden zijn mensen die in een ziekenhuis zijn opgenomen als gevolg van een ernstig verkeersongeval. Gemiddeld zijn er jaarlijks ongeveer 700 verkeersdoden te betreuren. Een nadeel van officiële cijfers is echter dat alleen de ernstige ongevallen worden geregistreerd. De registratie van ongevallen waarbij personen gewond raken maar waarbij geen ziekenhuisopname volgt en van ongevallen met uitsluitend materiële schade is nogal onbetrouwbaar.

Volgens niet officiële cijfers vinden er jaarlijks 1,2 miljoen verkeersongevallen plaats. Bij 430.000 is er sprake van enig lichamelijk letsel en bij 200.000 is het letsel zo ernstig dat medische hulp noodzakelijk is.
Absolute cijfers zeggen niets over de kans op een verkeersongeval met een vervoermiddel. Er is duidelijk een rangorde te onderscheiden in de kans op een ongeval per gereden kilometer. Een bromfietser heeft de grootste kans op een ongeval per gereden kilometer, gevolgd door een motorrijder en een fietser. Per afgelegde kilometer is autorijden een stuk veiliger. Overigens blijft openbaar vervoer (trein, bus, tram en metro) nog steeds de veiligste vervoerswijze.

Risicofactoren
Sommige mensen hebben meer kans op een verkeersongeval dan anderen. Dat zijn personen met de volgende kenmerken: leeftijd van 16 tot 19 jaar, mannelijk geslacht, hoog jaarkilometrage en hoge rijsnelheid.
Leeftijd: jonge bromfietsers tot en met 19 jaar hebben vaker een bromfietsongeval dan bromfietsers die ouder zijn dan 19 jaar.
Geslacht: mannelijke bromfietsers rijden stoerder en zijn geneigd meer risico's te nemen dan vrouwelijke bromfietsers.
Jaarkilometrage: de meeste bromfietskilometers worden afgelegd door jonge brom-fietsers t/m 24 jaar.
De grootste aantallen slachtoffers vallen dan ook in deze categorie.
Hoge rijsnelheden: Bromfietsers die rijden op opgevoerde bromfietsen, hebben vaker een bromfietsongeval dan jongeren die rijden op nietopgevoerde bromfietsen.

Bromfietsers hebben alle vier de hiervoor beschreven kenmerken: bromfietsers zijn vaak jong, vaak van het mannelijk geslacht en rijden veel kilometers per jaar met hoge rijsnelheden. Jongens in de leeftijd van 16 t/m 19 jaar die op een opgevoerde bromfiets met hoge snelheden rijden, lopen dus uitzonderlijk veel risico's in het verkeer. De kans dat zij een ongeval krijgen, is veel groter dan bij andere verkeersdeelnemers.

Tabel 1. Dodelijke slachtoffers van een verkeersongeval in Nederland naar geslacht,2013.	
Mannen	419
Vrouwen 2013	151

Tabel 2. Dodelijke slachtoffers van een verkeersongeval in Nederland naar leeftijd.		
0-14 jaar		9
15-19 jaar		41
20-29 jaar		103
30-39 jaar		38
40-49 jaar		56
50-59 jaar		68
60-69 jaar		55
70-79 jaar		99
80 jaar en ouder		101

Tabel 3. Dodelijke slachtoffers van een verkeersongeval in Nederland naar vervoerswijze.		
Personenauto		193
Bestelauto + vrachtauto		15 + 7
Fiets		184
Brom- en snorfiets		48
Scootmobiel		32
Brommobiel		5
Voetganger		56
Motorfiets		29
Overig/onbekend		1
Totaal		570

Bron: CBS en Rijkswaterstaat.

Milieu

Het vervoer, en ook het bromfietsverkeer, veroorzaakt een groot aantal milieuproblemen. Als bromfietser kun je de nadelige gevolgen voor het milieu echter beperken. Hoe je dat kunt doen, komt in de loop van de cursus uitgebreid aan de orde.
Op twee manieren is de bromfiets slecht voor het milieu. In de eerste plaats leiden de uitlaatgassen tot een zekere hoeveelheid luchtverontreiniging. In de tweede plaats kan de bromfiets voor geluidsoverlast zorgen.

Luchtverontreiniging

De uitlaatgassen van de bromfiets leiden tot luchtverontreiniging. De mate van luchtverontreiniging wordt onder meer bepaald door de technische staat van de bromfiets, de onderhoudstoestand van de bromfiets, de snelheid waarmee gereden wordt, het ontwerp van de motor en de aanwezigheid van een katalysator.

Technische voorzieningen

Veel bromfietsen hebben een tweetaktmotor. Een groot nadeel van deze motoren is de vervuiling die ze veroorzaken.

- Als de oude gassen door de nieuwe onverbrande gassen uit de uitlaat worden gedreven, vervliegen er ook onverbrande gassen.
- De ruimte rond de zuiger moet goed worden gesmeerd. Omdat deze ruimte bij een tweetaktmotor geen olie bevat, moet er aan de brandstof van tweetaktmotoren olie worden toegevoegd. Deze olie wordt ook verbrand en via de uitlaat afgevoerd. Dat is echter zeer schadelijk voor het milieu.

Daarnaast komen er steeds meer bromfietsen met een elektrische motor. Deze bromfietsen maken geen lawaai en veroorzaken geen uitstoot van gassen. Dus zijn ze veel beter voor het milieu.

Afstelling van de motor

Veel jongeren vinden het leuk als hun bromfiets een hoop herrie maakt en lekker snel rijdt. Het verbod om aan bromfietsen technische wijzigingen aan te brengen wordt dan ook vaak overtreden. Sommigen zijn uren bezig om van hun bromfiets een raspaardje te maken. Anderen zien kans om binnen een zeer korte tijd een geweldige puinhoop van de bromfiets te maken.
Fabrikanten hebben veel aandacht besteed aan de afstemming van de brandstofvoorziening en het in- en uitlaatsysteem. Wanneer een van deze factoren wordt gewijzigd,

leidt dat maar zelden tot vermogenswinst zonder dat daar nadelen tegenover staan. Dus hoe je het ook wendt of keert, het is stom om aan de motor, de carburateur of de overbrenging iets te veranderen. Het is onveilig voor jezelf, schadelijk voor het milieu en de bromfiets verliest aan waarde. Ook loop je het risico dat de politie je bromfiets inneemt voor een technische controle.

Onderhoudstoestand

Veel bromfietsen worden slecht of helemaal niet onderhouden. Een te lage bandenspanning of een niet goed gespannen ketting, leidt vaak tot onnodig veel brandstof verbruik en milieuvervuiling.

Rijsnelheden

Te snel rijden, maar ook snel optrekken en abrupt remmen leidt tot meer uitstoot van schadelijke stoffen.

Choke

Als de choke te lang open staat wordt de verhouding lucht-brandstof verstoord, de motor krijgt te veel brandstof en te weinig lucht en het mengsel wordt niet volledig verbrand. Dat is zeer schadelijk voor het milieu. Rijd na een koude start rustig weg en zet de choke zo snel mogelijk dicht.

Katalysator

Door montage van een katalysator kan de uitstoot van schadelijke stoffen worden beperkt. Slechts een paar typen bromfietsen hebben momenteel een katalysator. Er zijn drie belangrijke uitingen van luchtvervuiling:

- verzuring (zure regen);
- smogvorming;
- broeikaseffect.

Verzuring

Verzuring wordt veroorzaakt door verschillende stoffen:

- ammoniak;
- stikstofoxiden;
- zwaveloxiden.

De stoffen vormen samen met regen- of grondwater schadelijke zuren. Hoewel de verzuring de laatste jaren stabiliseert blijft het een bedreiging voor onze bossen. Ook mensen en dieren hebben last van verzurende stoffen, vooral via de luchtwegen. Steeds meer mensen hebben last van allergieën die te maken hebben met het inademen van stoffen.

Smogvorming

In de zomer kan bij sterke zonneschijn, hoge temperaturen en het ontbreken van wind gemakkelijk smogvorming ontstaan. Zomersmog ontstaat door ozonvorming. Een overmaat aan ozon op leefniveau is gevaarlijk voor mens en dier en ontstaat doordat zonlicht inwerkt op stikstofoxiden en koolwaterstoffen: beide stoffen worden door het verkeer geproduceerd.

Broeikaseffect

Broeikaseffect is het verschijnsel dat de samenstelling van de atmosfeer zodanig verandert, dat de aarde de invallende zonnewarmte niet meer kan uitstralen ofwel teruggeven aan de ruimte. Hierdoor wordt de aarde steeds warmer. Dit kan leiden tot bijverschijnselen, zoals het ontstaan van zware stormen en het stijgen van de zeespiegel. Het totale wegverkeer is verantwoordelijk voor circa 20% van de verzuring en voor circa 50% van de ozonvorming op leefniveau.
Het aandeel van de bromfiets is daarin naar verhouding klein. Maar dat mag je er als bromfietser niet van weerhouden ervoor te zorgen dat dat aandeel nog kleiner wordt.

Geluidsoverlast

Van de Nederlandse bevolking zegt 30% wel eens last te hebben van lawaai dat veroorzaakt wordt door het wegverkeer. Met name bromfietsen, motoren en zware voertuigen veroorzaken veel overlast. Vooral mensen in woon-wijken hebben er last van als je ('s nachts) met je brommer keihard door de straat scheurt.
Ook als je met je hond rustig in het bos of park aan het wandelen bent is het zeer hinderlijk als er een brommer plotseling langs rijdt met een knetterende uitlaat. De bromfiets mag niet meer dan 97 dB(A) aan geluid voortbrengen en een snorfiets mag niet meer dan 90 dB(A) aan geluid voortbrengen.

NOTITIES

2. Nog (even) niet het verkeer in

In dit hoofdstuk komen algemene zaken ter sprake die met de bromfiets te maken hebben. Omdat dit een heel breed onderwerp is, hebben we voor de overzichtelijkheid een onderverdeling gemaakt in vier thema's, namelijk:

- aanschaf van de bromfiets;
- uitrusting op de bromfiets;
- ritvoorbereiding met de bromfiets;
- middelen die de rijvaardigheid beïnvloeden.

Aanschaf van de bromfiets

Status van de bromfiets

De basis van de verkeerswetgeving is de Wegenverkeerswet 1994 (WVW 1994). Daarin staan o.m. de basisregels voor het verkeersgedrag en de regels met betrekking tot verkeersongevallen, rijden onder invloed, rijbewijzen en kentekenbewijzen.

Motorrijtuigen

In de WVW 1994 worden voertuigen met een motor motorrijtuigen genoemd. Daarom is de bromfiets voor de WVW 1994 ook een motorrijtuig en zijn de regels daarvoor ook van toepassing op de bromfiets(bestuurder). Daarom is bijvoorbeeld ook een rijbewijs (AM) en een kentekenbewijs verplicht.
De beschrijving van het begrip motorrijtuigen luidt: alle voertuigen, bestemd om anders dan langs spoorstaven te worden voortbewogen uitsluitend of mede door een mechanische kracht, op of aan het voertuig zelf aanwezig dan wel door elektrische tractie met stroomtoevoer van elders, met uitzondering van fietsen met trapondersteuning.

Motorvoertuigen

De uitwerking van de verkeersregels en verkeerstekens staan in het Reglement Verkeersregels en Verkeerstekens (RVV 1990). In dit reglement wordt het begrip motorvoertuigen gehanteerd.
Daarin zijn motorvoertuigen: alle gemotoriseerde voertuigen behalve bromfietsen en gehandicaptenvoertuigen, bestemd om anders dan langs rails te worden voortbewogen.
De regels met betrekking tot motorvoertuigen zijn dus niet van toepassing op brom- en snorfietsen.

Bromfiets: een voertuig (geen gehandicaptenvoertuig) op twee of drie wielen, met een door de constructie bepaalde maximumsnelheid van niet meer dan 45 km per uur, uitgerust met een verbrandingsmotor met een cilinderinhoud van ten hoogste 50 cm^3 of met een elektromotor met een netto maximumvermogen van 4 kW. De bromfiets is herkenbaar aan de gele kentekenplaat.

Snorfiets: een snorfiets is een bromfiets met een door de constructie bepaalde maximumsnelheid van niet meer dan 25 km per uur. Een snorfiets is uiterlijk te onderscheiden van een bromfiets door de kleur (blauw) van de kentekenplaat. Ook kun je aan het niet dragen van een helm vaak snel zien dat het om een snorfiets gaat.

Motieven voor aanschaf

De eerste kosten die je maakt, hebben betrekking op de aanschaf van een bromfiets. De prijs daarvan ligt zo ongeveer tussen de € 1000,- en € 3500,-.
Na de aanschaf is de jaarlijks terugkerende verzekeringspremie de grootste kostenpost. Autorijden mag pas op 18 jarige leeftijd (onder begeleiding vanaf 17 jaar) als je in het bezit bent van een autorijbewijs (categorie B). Daarom heeft de bromfiets vaak grote aantrekkingskracht op jongeren in de leeftijdscategorie van 16-17 jaar. Zeker als de bromfiets er snel en flitsend uitziet.
Het grootste nadeel van de bromfiets is echter de verkeersonveiligheid. Wist je dat de kans dat bromfietsers betrokken raken bij een ongeval ongeveer 50x groter is dan voor een automobilist? En dat de gevolgen van een ongeval vaak ook veel ernstiger zijn door het ontbreken van bescherming zoals kooiconstructies en kreukelzones.
Als je besluit op een bromfiets te gaan rijden moet je dus met deze informatie rekening houden.
Een ander nadeel van de bromfiets is de schade aan het milieu. Bij de aanschaf van een bromfiets is het dus verstandig goed op de hoogte te zijn van de voor- en nadelen van de bromfiets.

Voordelen

- brommen is veel sneller dan lopen en fietsen;
- in tegenstelling tot het openbaar vervoer, hoef je nooit te wachten;
- een bromfiets is goedkoper in het gebruik dan een auto of motor;
- een bromfiets is lekker sportief;
- een bromfiets neemt weinig ruimte in bij het parkeren;
- je hoeft geen wegenbelasting te betalen.

Nadelen

- een bromfiets is een heel onveilig vervoermiddel;
- op een bromfiets ben je erg gevoelig voor slechte weersomstandigheden;
- een bromfiets zorgt voor veel geluidsoverlast;
- op een bromfiets kun je maar beperkt bagage meenemen;
- op een bromfiets kun je maar één passagier meenemen;
- de verplichte helm is niet altijd even handig op te bergen;
- je betaalt een hoge verzekeringspremie.

Als je dus besluit om een bromfiets aan te schaffen, zul je moeten beseffen wat de voor- en nadelen zijn. Er zullen echter nog veel meer zaken zijn die een rol spelen bij de keuze, zoals de plaats waar je woont.
De afstand tussen je huis en je school of werk bepaalt voor een groot deel van welk vervoermiddel je gebruik maakt. Als je bijvoorbeeld dicht bij school woont, kun je gaan lopen of gaan fietsen. Over het algemeen kan gesteld worden dat lopen of fietsen het goedkoopste is, het meest vriendelijk voor het milieu en vergeleken met de bromfiets ook het veiligste is. Als je echter ver van school woont, is dit niet zo aantrekkelijk.

En misschien is het wel zo dat je het gewoon heel leuk vindt een bromfiets te kopen, omdat je een "motorgek" bent of omdat al je vrienden ook een bromfiets hebben.

Technische eisen

Voordat je besluit een bromfiets te kopen moet je goed weten dat een bromfiets aan een aantal technische eisen moet voldoen. Bij een nieuwe bromfiets geldt dat minder, maar bij de aanschaf van een tweedehands bromfiets moet je goed opletten wat je koopt.

De eisen voor een tweewielige bromfiets zijn:
- de bromfiets moet een goedgekeurd type of exemplaar zijn en voorzien zijn van een goed leesbaar goedkeurmerk;
- de cilinderinhoud mag ten hoogste 50 cm^3 bedragen;
- de door de constructie bepaalde maximumsnelheid mag niet hoger zijn dan 45 km per uur;
- de bromfiets mag niet opgevoerd worden;
- het brandstofsysteem mag geen lekkage vertonen en de vulopening moet zijn afgesloten met een passende tankdop;
- het uitlaatsysteem moet over de volle lengte gasdicht zijn en mag geen hoger geluidsniveau produceren dan 97 dB en bij een snorfiets ten hoogste 90 dB;
- de wielen moeten zijn voorzien van luchtbanden en deze moeten goed afgeschermd zijn, ze mogen niet aanlopen en de banden moeten over de gehele omtrek voldoende profilering hebben;
- bromfietsen mogen geen scherpe delen hebben die in geval van botsing gevaar voor lichamelijk letsel voor andere weggebruikers kunnen opleveren;
- geen deel aan de buitenzijde van een bromfiets mag zodanig zijn bevestigd, beschadigd, versleten of door corrosie zijn aangetast, dat gevaar bestaat voor loslaten;
- bromfietsen mogen, met uitzondering van groot licht, niet zijn voorzien van verblindende verlichting.

Verder moeten bromfietsen voorzien zijn van:
- een deugdelijke bedrijfsrem, die op alle wielen werkt en waarvan de remvertraging tenminste 4.0 m/s^2 moet zijn;

- één of twee witte of gele dimlichten;
- één of twee rode achterlichten en één niet driehoekige rode reflector aan de achterkant van de bromfiets;
- één of twee rode remlichten;
- een goede bel of hoorn met vaste toonhoogte (de bromfiets mag ook voorzien zijn van een alarminstallatie tegen diefstal);
- een linker buitenspiegel, die voldoet aan de eisen van het gezichtsveld;
- een goed werkende snelheidsmeter, die ook bij nacht voor de bestuurder goed afleesbaar is.

Sommige eisen kun je als koper moeilijk zelf controleren. Ga dan naar een bromfiets-handelaar en vraag of hij de bromfiets controleert op gebreken.

Soort bromfiets

Het bromfietspark is nogal gevarieerd samengesteld. De volgende typen kunnen worden onderscheiden:
- bromfiets met automatische koppeling en versnelling;
- scooterachtige bromfiets (vrijwel altijd automatisch);
- bromfiets met versnellingen (meestal oudere bromfiets).

De meest verkochte bromfiets is de bromfiets met de automatische koppeling. Vooral het scootertype is op dit moment zeer populair. De laatste jaren worden er ook steeds meer snorfietsen en fietsen met elektrische ondersteuning verkocht.

Jongeren op opgevoerde bromfietsen zijn vaker slachtoffer bij een verkeersongeval dan jongeren die rijden op een originele bromfiets. In de praktijk blijkt dat schakelbrommers vaker worden opgevoerd dan automaatjes. Personen met een schakelbrommer dienen drie keer zo vaak een WA-schadeclaim in bij de verzekering dan personen met een automaat.

Nieuw of tweedehands

Hiervoor hebben we besproken dat je kunt kiezen uit diverse types bromfietsen, maar je kunt daarnaast ook een keuze maken voor nieuw of tweedehands. Het voordeel van een nieuwe bromfiets is de zekerheid dat er niet mee is geknoeid zodat hij voldoet aan de wettelijke eisen. Tevens zit er op een nieuwe bromfiets vaak meer garantie dan op een tweedehands bromfiets. Wanneer je een bromfiets bij een particulier koopt kun je de garantie helemaal vergeten.

Een nieuwe bromfiets is natuurlijk wel een stuk duurder dan een tweedehands bromfiets. Bij een tweedehands is de kilometerstand en de staat van onderhoud maar ook de leeftijd van de bromfiets sterk van invloed op de prijs. Het is verstandig om dit alles goed met elkaar te vergelijken alvorens je tot kopen besluit.

Kentekenplaat en kentekenbewijs

Voor brom- en snorfietsen geldt een kentekenplicht. Dat betekent dat zij, aan de achterzijde, voorzien moeten zijn van een goedgekeurde kentekenplaat. Voor de bromfiets geldt een gele plaat met zwarte letters en voor de snorfiets is dat een blauwe plaat met witte letters. Het doel van de kentekenverplichting is om de verkeersveiligheid te vergroten en criminaliteit makkelijker aan te pakken. Zo kunnen de onveilige bromfietsen van de weg worden gehouden. Gehandicaptenvoertuigen, landbouw- en bosbouwtrekkers en motorrijtuigen met beperkte snelheid en de door deze voertuigen voortbewogen aanhangwagens zijn van de kentekenplicht vrijgesteld.

Het kentekenbewijs dat bij het kenteken hoort bestaat uit de volgende delen:
Deel 1A: Hierop staan de technische gegevens van je bromfiets/snorfiets.
Deel 1B: Hierop staan jouw persoonsgegevens.
Deel 2: Het overschrijvingsbewijs.

Kentekenplaat bromfiets

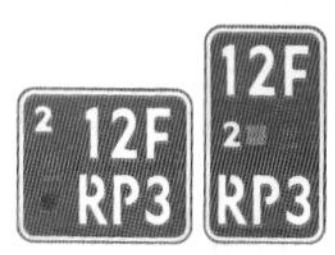

Kentekenplaat snorfiets

Deel 1A

Deel 1B

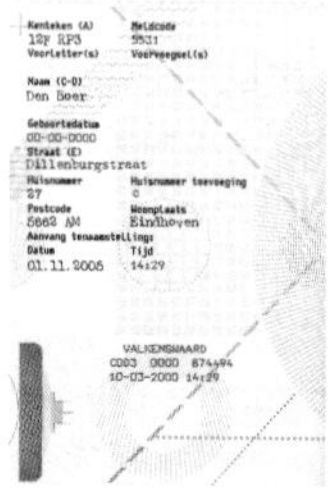

Deel 2

Let op! *Bewaar het deel 2 altijd thuis op een veilige plaats, bijvoorbeeld een kluisje, dit heb je pas nodig als je de bromfiets verkoopt.*

Kentekencard

Kentekencard

Nieuwe kentekenbewijzen zijn van vorm veranderd. Ook kan een kenteken langer worden geschorst. Verder vervalt in de loop van 2015 de verplichting om het kentekenbewijs te tonen.
Het 2-delige papieren kentekenbewijs is (bij nieuwe voertuigen en bij verkoop) vervangen door een kentekencard met chip. De kentekencard vermeldt de gegevens van het voertuig en de gegevens van de kentekenhouder. Op de oude kentekenbewijzen staan die nog op de afzonderlijke papieren kentekendelen.
De eigenaar van het voertuig krijgt bij de tenaamstelling een tenaamstellingscode. Deze code is nodig als het voertuig van eigenaar wisselt, geschorst, gesloopt of geëxporteerd wordt. De RDW geeft de kentekencards centraal uit.
Kentekenbewijzen kunnen digitaal (vanuit huis) op een andere eigenaar worden overgeschreven. Ook zijn er plaatsen waar de tenaamstelling persoonlijk geregeld kan worden. Een kenteken kan ook langer geschorst worden, namelijk 3 of 5 jaar. Er behoeft dan geen WA-verzekering voor de bromfiets betaald te worden.

Eisen kenteken en kentekenbewijs

Het kenteken en het kentekenbewijs worden afgegeven aan de eigenaar of houder van het voertuig. Het kenteken dient behoorlijk zichtbaar op je bromfiets aanwezig te zijn.
Het kentekenbewijs dient:

- te voldoen aan de vastgestelde eisen inzake inrichting en uitvoering;
- zijn geldigheid niet te hebben verloren;

- niet te zijn ingevorderd;
- behoorlijk leesbaar te zijn.

Verder dient de bromfiets of brommobiel te voldoen aan de gegevens in het kentekenbewijs.

Onjuiste inlichtingen en gebruik

Als je voor het verkrijgen van een kentekenbewijs opzettelijk onjuiste opgaven doet, onjuiste inlichtingen verschaft en onjuiste bewijsstukken en andere bescheiden overlegt, ben je strafbaar. Verder ben je strafbaar als je een kentekenbewijs van een andere bromfiets gebruikt terwijl je doet voorkomen dat dit het kentekenbewijs is voor jouw bromfiets.

Het is verboden zo met de kentekenplaat te knoeien (op welke wijze dan ook) dat je daardoor de herkenbaarheid bemoeilijkt. Dat geldt zowel voor het rijden met als het laten staan van de bromfiets. Het rijden met een vals of vervalst kenteken wordt zwaar bestraft.

Invordering kentekenbewijs

Het kentekenbewijs kan om verschillende redenen worden ingevorderd. In ieder geval wordt het kentekenbewijs of de kentekencard ingevorderd als bij controle blijkt dat de bromfiets is opgevoerd. Als het kentekenbewijs is ingevorderd mag je niet meer met de bromfiets rijden. Pas als na een keuring blijkt dat de bromfiets weer aan de eisen voldoet, wordt het kentekenbewijs teruggegeven en mag je weer rijden. Niet echt handig dus om je bromfiets op te voeren, nog even los van het gevaar dat daar aan kleeft.

Rijbewijs AM

Als je met een bromfiets, snorfiets, scooter of brommobiel wilt rijden moet je minimaal 16 jaar zijn en in het bezit zijn van een geldig rijbewijs AM. Het rijbewijs moet voldoen aan eisen inzake inrichting, uitvoering en invulling, zijn geldigheid niet hebben verloren en behoorlijk leesbaar te zijn. Het rijbewijs is 10 jaar geldig.

Aanvraag rijbewijs

Het rijbewijs is, na overlegging van de vereiste documenten, te verkrijgen bij het gemeentehuis in de woonplaats van de aanvrager. Op het rijbewijs is eveneens het burgerservicenummer opgenomen.

Het kan ook dienen als legitimatiebewijs. Heb je, om welke reden dan ook, een nieuw rijbewijs nodig dan is het gemeentehuis het aangewezen adres. In geval van een gestolen of vermist rijbewijs dient eerst aangifte gedaan te worden bij de politie.

Voor het verkrijgen van een rijbewijs is het verboden opzettelijk onjuiste opgaven te doen, onjuiste inlichtingen te verschaffen en onjuiste bewijsstukken en andere bescheiden over te leggen.

Ontzegging van de rijbevoegdheid en inpikbevoegdheid rijbewijzen

Er zijn verschillende omstandigheden waarin het rijbewijs kan worden ingenomen of dat er sprake is van schorsing of ontzegging van de rijbevoegdheid.
Deze omstandigheden zijn:

- ontzegging van de rijbevoegdheid door een rechterlijke uitspraak of strafbeschikking;
- ongeldigverklaring van categorie of categorieën van het rijbewijs (rijden tijdens rijonderricht of examen is toegestaan);
- invordering van het rijbewijs bij geestelijke of lichamelijke ongeschiktheid (rijden tijdens gevorderde rijproef is toegestaan);
- schorsing van de rijbevoegdheid (rijden tijdens gevorderde rijproef is toegestaan);
- invordering van het rijbewijs bij:
  - geconstateerd alcoholgebruik van meer dan een AAG van 570 microgram per liter uitgeademde lucht of een BAG van 1,3 ‰.
  - geconstateerd alcoholgebruik van meer dan een AAG van 350 microgram per liter uitgeademde lucht of een BAG van 0,8 ‰ (voor beginnende bestuurders).
  - weigering ademanalyse of bloedonderzoek.
  - overschrijding maximumsnelheid met meer dan 50 km per uur bij auto's.
  - overschrijding maximumsnelheid met meer dan 30 km per uur bij bromfietsen.
  - in gevaar brengen verkeersveiligheid;
- invordering of inneming van het rijbewijs op grond van de Wet administratiefrechtelijke handhaving verkeersvoorschriften.

Verzekering

Als bromfietser heb je twee mogelijkheden om je bromfiets te verzekeren:

- WA-verzekering;
- All-riskverzekering.

WA-verzekering (wettelijke aansprakelijkheid)

Deze verzekering is verplicht voor iedere bromfietseigenaar. WA betekent "wettelijke aansprakelijkheid". Via een WA-verzekering kun je de schade laten vergoeden die jij anderen toebrengt door het gebruik van je bromfiets.
Onverzekerd rijden is strafbaar en kan leiden tot het levenslang moeten betalen voor de veroorzaakte schade. Stel je rijdt een voetganger aan terwijl je bromfiets niet is verzekerd en de voetganger kan na het ongeval nooit meer lopen, dan ben jij verplicht om alle schade die het slachtoffer oploopt te vergoeden. Denk aan de ziekenhuiskosten en gederfde inkomsten omdat hij tijdelijk of voor altijd zijn beroep niet meer kan uitoefenen en alle kosten van een eventuele juridische procedure. Je kunt je voorstellen dat dit een gigantisch bedrag kan worden.
Zelfs al let je nog zo goed op in het verkeer dan zit een ongeval nog in een onverwacht klein hoekje. De schade aan je eigen voertuig is bij een WA-verzekering niet verzekerd. Als je een dure, nieuwe bromfiets hebt, is het verstandig om een WA + volledig casco af te sluiten.

WA + volledig casco (ook wel WA casco of all risks genoemd)
Deze verzekering biedt een complete dekking. In de eerste plaats dekt deze verzekering alle schade waarvoor je wettelijk aansprakelijk bent, maar ook schade die ontstaat door brand, storm, diefstal en botsingen met loslopende dieren. Bovendien vergoed de verzekering schade die wordt veroorzaakt door van buiten komende oorzaken, zoals slippen, aanrijding, botsen, te water raken en omslaan.
Je moet wel bedenken dat steeds meer verzekeringsmaatschappijen er toe overgaan tot het maken van uitsluitingen of beperkingen van de uitkeringen. Daar is sprake van bij het opvoeren van de bromfiets, het rijden zonder rijbewijs of het rijden onder invloed van alcohol of drugs. Dat alles wordt duidelijk omschreven in de polis van je verzekering. In feite is het zo dat wanneer je op een bromfiets rijdt waarmee je de wet overtreedt, de verzekeringsmaatschappij verplicht is om de schade aan de tegenpartij te vergoeden. Hij kan deze schade dan ook verhalen op de verzekeringnemer. Nadat je de verzekeringspremie hebt betaald krijg je een verzekeringspolis. Zorg dat je, in verband met een eventueel ongeval, altijd je verzekeringsgegevens bij je hebt. Natuurlijk ben je ook verplicht om je rij- en kentekenbewijs bij je te hebben. De overheid beschikt door middel van de kentekenregistratie over een geautomatiseerd systeem om na te gaan of je aan de verzekeringsplicht hebt voldaan.

Gebruik in het buitenland
Bromfietsen met kenteken mogen in alle Europese landen van de openbare weg gebruik maken. Als het land dat je bezoekt het Verdrag van Geneve heeft ondertekend, dan moet je op grond van dat Verdrag een NL-sticker voeren. Is het land geen partij (zoals bijv. Duitsland), vraag dan in het land zelf naar de regelgeving op dit gebied.

Uitrusting

Kleding
Misschien heb je er nooit bij stilgestaan maar bromfietsers zijn vrij slecht zichtbaar voor andere weggebruikers. Dat geldt zowel voor overdag als 's nachts. Hierdoor lopen bromfietsers extra gevaar. Draag daarom opvallende (lichte) kleding en bij voorkeur met reflecterende strepen. Deze kaatsen bij duisternis het licht terug.

Bromfietsers zijn niet goed zichtbaar op de weg. Dit komt voornamelijk door de smalle omtrek van de bromfiets. Automobilisten zien een bromfietser dan ook snel over het hoofd. Vooral als het slecht weer, schemerig of donker is, dien je daar als bromfietser rekening mee te houden.
Omdat bromfietsers slecht zichtbaar zijn voor andere weggebruikers, moet je extra aandacht aan de verlichting schenken. Zorg er dus voor dat je nooit met kapotte lampen rijdt.

Herkenbaarheid

Afgezien van het feit dat een bromfietser slecht zichtbaar is, is er ook het probleem dat een bromfietser niet altijd herkenbaar is. Stel je maar eens voor dat je als automobilist in het donker rijdt en je ziet een lichtje aankomen, dan kun je niet meteen inschatten of het een bromfiets, een motor of een fiets is. Stel dat je dan rekent op een fiets, dan kun je lelijk verrast worden door de veel hogere snelheid van een bromfiets of een motor.

Verrassingseffect

Bromfietsers komen naar verhouding weinig voor in het verkeer. Andere weggebruikers zijn hierdoor vaak niet voorbereid op een ontmoeting met een bromfiets.
De slechte waarneembaarheid van de bromfiets bij nadering van voor of achter, wegens de smalle omtrek, versterkt dit nog eens.
Een goede manier om er voor te zorgen dat je beter zichtbaar bent in het verkeer, is opvallende kleding te dragen.
Goede kleding voldoet aan verschillende voorwaarden.
Kleur: een jack in lichte en felle kleuren valt het meest op in het verkeer en is beter dan zwart of grijs of andere donkere kleuren.
Het is dus veel belangrijker erop te letten dat je goed opvalt dan dat je met de mode meedoet, alhoewel je dit vaak goed kunt combineren.
In geval van donkere kleding zou je op deze kleding ook reflecterende strips kunnen aanbrengen, tegenwoordig zijn er zelfs strips met verlichting te krijgen die je tijdelijk op je kleding kunt bevestigen zodat je in het donker toch goed opvalt.
Warmte: je jas en handschoenen of wanten moeten warm genoeg zijn. In de eerste plaats is het vervelend om klappertandend van de kou op je bromfiets te rijden. In de tweede plaats verminderd je reactievermogen als je het koud hebt en vertraagt het je bewegingen. Met koude handen en voeten is het bijvoorbeeld moeilijker om te remmen. Als het regent moet je er voor zorgen dat je waterdichte kleding draagt.
Het dragen van lange jassen en sjaals op de bromfiets wordt sterk afgeraden, deze kunnen namelijk tussen de wielen komen.
Bescherming: bij een ongeval is het belangrijk dat je jas voldoende bescherming biedt. Te denken is aan een jack met extra versteviging op de schouders en ellebogen en soepele waterdichte handschoenen die je handen goed warm houden en die bescherming geven bij een eventueel ongeval. Een mens is namelijk altijd geneigd om zijn handen uit te steken al hij valt.

Zicht

Als je bij belemmerd zicht of bij schemering of duisternis rijdt, zie je minder scherp dan overdag bij lichtbewolkt weer. De kans bestaat dat je belangrijke informatie (borden, andere weggebruikers, omleidingen e.d.) te laat ziet. Bij helder weer kan een laagstaande zon en spiegeling van het wegdek hinderlijk zijn en is het verstandig een zonnebril te dragen. Verder moet je je gezichtscherpte goed in de gaten houden. Laat je ogen regelmatig testen en draag indien nodig een bril of contactlenzen. Bij de keuze voor een bril moet je rekening houden met het op- en afzetten tijdens het dragen van een helm.

Helmdraagplicht

Alle bromfietsers en hun passagiers moeten een helm dragen. Deze regel geldt niet voor bestuurders en passagiers van snorfietsen en een brombakfiets. De helmdraagplicht is ingevoerd om bij een ongeval ernstige verwondingen te voorkomen.
Als je een helm draagt heb je bij een ongeval 40% minder kans om gedood te worden en 30% minder kans om aan het hoofd gewond te raken. Alle reden dus om een helm te dragen. Een helm moet aan een aantal voorwaarden voldoen:

- hij moet op de juiste wijze worden onderhouden;
- hij moet voorzien zijn van een goedkeuringsmerk;
- de helm moet de juiste pasvorm hebben.

Deze voorwaarden bespreken we hieronder nader.

Eerst nog even een verkeersregel: de bestuurder en de passagier van een bromfiets (niet snorfiets) zijn beide verplicht een helm te dragen en beide zijn ook zelf verantwoordelijk voor het op de juiste manier dragen van de helm. Voor een passagier die nog geen 12 jaar is en geen helm draagt, is de bestuurder verantwoordelijk.

Goedgekeurde helm

Helmen worden gekeurd door het TNO. Wanneer zij aan alle eisen voldoen, krijgen zij een officieel goedkeuringsmerk. Dit merk is aan de binnenkant van een helm te vinden en is herkenbaar aan een wit of oranje label met daarop een omcirkelde E, gevolgd door een cijfer (voor Nederland is dat een 4). Op dit label staat tevens een goedkeuringsnummer. Dit nummer geeft aan volgens welke norm de helm gekeurd is. De nieuwe helmen zijn steeds veiliger omdat de eisen steeds worden aangescherpt. Je mag geen helm dragen die niet is goedgekeurd. Goedgekeurde helmen mogen door zowel bromfietsers als door motorrijders worden gedragen, dit geldt ook voor hun passagiers.

Pasvorm

Bij het kopen van een helm moet je letten op de volgende punten:

- De maat die in een helm is aangegeven, moet overeenkomen met het aantal centimeters van je hoofdomtrek, gemeten ter hoogte van de wenkbrauwen en het knobbeltje op je achterhoofd (het punt waar de schedel naar binnen wijkt.
- Op je achterhoofd moet de helm tot aan het 'knobbeltje' doorlopen, zonder dat bij het achteroverbuigen van je hoofd de harde helmschaal je nek of rug raakt.
- Afgezien van de juiste maat moet je helm rondom je hoofd goed aansluiten, zonder te knellen, als je bijvoorbeeld met je hand boven op de helm drukt dan mag dat geen pijn veroorzaken aan je voorhoofd.
- Wanneer de kinband gesloten is (bandje terug steken) mag de band niet of nauwelijks met je hand heen en weer geschoven kunnen worden ten opzichte van je hoofdhuid.

Onderhoud van een helm

Als je eenmaal een helm hebt aangeschaft moet je hem ook op de juiste wijze onderhouden. De kans op ernstige hoofdwonden bij een ongeval wordt groter wanneer je de helm slecht of verkeerd onderhoudt.

- Je mag een helm niet verven of schoonmaken met bijtende chemische middelen zoals aceton of thinner. Deze stoffen kunnen agressief inwerken op de kunststof, waardoor de helm zwakker wordt en onvoldoende bescherming biedt bij een ongeval. Dat zwakker worden kun je niet zien met het blote oog, de helm lijkt nog even sterk als tevoren.
- De helm met stickers beplakken staat soms wel leuk, maar in de lijm van de stikkers zitten oplosmiddelen die de helmschaal kunnen aantasten. De stikkers van de fabrikant hebben een speciale lijm die de helmschaal niet aantast.
- Na een ongeval waarbij de helm de klap heeft opgevangen, is het belangrijk dat de helm vervangen wordt. De helm bestaat namelijk uit een binnenschaal en een buitenschaal. Ook als je je helm een keer goed hebt laten vallen kun je de helm beter vervangen! De binnenschaal kan door de klap zijn ingedeukt waardoor hij bij een eventueel volgende klap niet meer voldoende bescherming biedt. De binnenschaal is gemaakt van polystyreen, bekend als piepschuim. Dit is een korrelig materiaal wat na het indeuken weer uitveert waarbij de korrels elkaar loslaten. Je kunt je voorstellen dat losse korrels niet in staat zijn een klap op te vangen.

De buitenschaal is ter voorkoming van diepe hoofdwonden door scherpe voorwerpen zoals stenen of voertuigonderdelen. De buitenschaal is van een stugge soort kunststof gemaakt zoals bijvoorbeeld glasfiber of carbonfiber of diverse combinaties van dergelijke kunststofsoorten. Het is in veel gevallen zo dat je na een valpartij aan de buitenschaal van de helm geen of weinig schade kunt waarnemen, toch is het beter de helm niet te gebruiken vanwege de onzichtbare schade aan de binnenschaal.

- Het vizier van de helm mag niet bekrast zijn, dit vermindert het zicht. Reinig het vizier altijd met schoon water en een zachte doek ter voorkoming van krassen.

- Kapotte onderdelen (kapot scharnier, gekrast vizier, lamme sluiting) kunnen op belangrijke momenten een storende factor zijn zodat je wordt afgeleid en daardoor een ongeval kunt veroorzaken.

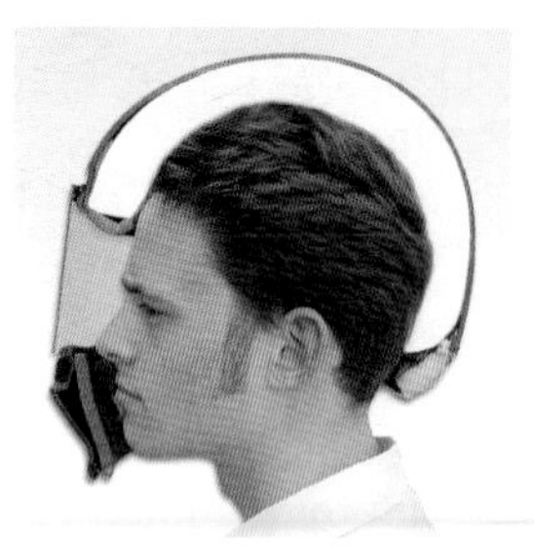

Ritvoorbereiding

Voordat je een rit maakt met je bromfiets, moet je je goed voorbereiden. Een voorwaarde voor een veilige verkeersdeelname is bijvoorbeeld dat je met de juiste instelling op je bromfiets gaat zitten. Dat houdt in dat je voortdurend rekening houdt met de belangen en de mogelijkheden van andere weggebruikers. Ook let je op de (weers) omstandigheden en neem je geen onnodige risico's in het verkeer.

Verkeerstaak

Bestuurders komen in het verkeer voor veel verschillende situaties te staan. Voor elke situatie moet je een oplossing bedenken en uitvoeren. Om veilig en goed aan het verkeer deel te kunnen nemen moet je voor je taak berekend zijn. De verkeerstaak bestaat uit een reeks van kleinere taken waarmee je voor, tijdens en direct na de verkeersdeelname te maken kan krijgen.

Verkeersinzicht en anticiperen

Bij het uitvoeren van die taken is verkeersinzicht en anticiperen van groot belang. Onder verkeersinzicht wordt verstaan: de mate waarin je als verkeersdeelnemer kennis, vaardigheden en houding weet toe te passen in het verkeer om een zo optimaal mogelijk verkeersveilig gedrag te bereiken. Dat gaat het beste als er goed geanticipeerd wordt. Anticiperen is vooruitzien, vooruit denken, instellen op de handeling of uit voorzorg reeds handelen.

Sociaal verkeersgedrag

Het verkeer is een samenspel tussen de verkeersdeelnemers. Verkeersdeelnemers die verschillend zijn als mens, maar ook kunnen verschillen doordat zij zich lopend of met een ander voertuig voortbewegen. Ondanks de regels die daarbij gelden zal in het verkeer niet alles altijd goed verlopen. Mensen kunnen daarbij bewust of onbewust fouten maken. Sociaal verkeersgedrag is er op gericht dat verkeersdeelnemers zelf zo zorgvuldig mogelijk de regels toepassen en daarbij rekening houden met fouten van een ander.

Toestand van de weg

Op een bromfiets moet je altijd de toestand van het wegdek in de gaten houden. De weg kan plotseling glad zijn en als je niet oppast, maak je een geweldige schuiver. De toestand van het wegdek is niet zo best bij slechte weersomstandigheden. Bij sneeuw, regen, hagel en ijzel is de wrijving van het wegdek minder dan bij goede weersomstandigheden. De banden van de bromfiets hebben dan minder grip op de weg.

Let altijd op de toestand van het wegdek en op de volgende zaken op de weg:
- Een tractor kan een modderspoor achterlaten op de weg.
- Bladeren (natte) kunnen het wegdek verraderlijk glad maken.
- Rubbersporen in bepaalde gedeelten van bochten.
- Steenslag bij wegwerkzaamheden of na reparatie van het wegdek.
- Spoorvorming.
- Tekens op het wegdek die glad zijn.
- Tram- of treinrails waar je met de wielen in kunt blijven steken of die glad zijn.

- Putdeksels van gietijzer die glad zijn.
- Let ook op de verschillende soorten wegdek zoals, grind, zand, kinderkopjes, asfalt, beton en trottoirtegels op de bromfietspaden.

Weersituatie (lichtcondities)

Als zicht beperkt is houd dan met de volgende zaken rekening:

- Rijden tijdens de overgang van dag naar nacht is vooral gevaarlijk, doordat sommige bestuurders dan nog geen verlichting voeren.
- Je gezichtsvermogen is bij duisternis minder dan bij daglicht, omdat je ogen zich nog moeten aanpassen aan de wisselende omstandigheden.
- Bij nacht of slecht zicht moet je rekening houden met andere fietsers of bromfietsers die (nog) geen verlichting voeren.
- Ook gebeurt het vaak dat automobilisten wegrijden zonder verlichting, omdat ze in een goed verlichte straat wegrijden. Hierdoor komen ze er pas later achter dat ze geen verlichting voeren.

Weercondities

Als het weer extreem slecht is, zoals bij zeer dichte mist (zicht minder dan 50 m), zware sneeuwval met moeilijk berijdbare wegen of extreme gladheid door ijzel, kun je de rit met de bromfiets beter uitstellen totdat de weersituatie is verbeterd. In zo'n situatie kun je beter kiezen voor openbaar vervoer. Verder geven we je nog een paar tips voor het rijden onder speciale omstandigheden:

- Als de zon laag staat (vooral in het voor- en najaar), kun je verblind worden en zie je ander verkeer te laat. Een zonnebril kan dan uitkomst bieden.
- Na een langdurige periode van droogte en mooi weer ontstaat bij beginnende regen een dunne en gladde laag op het wegdek. Door het nat geworden zand en stof gaat de grip met het wegdek verloren. Vermijd plotseling remmen met de voorrem.
- Afgezien van de maanden juni en juli is de kans groot dat er mist ontstaat. Dat betekent dat je dan je snelheid moet aanpassen aan het zicht dat je dan hebt.
- Op een glad wegdek kunnen je wielen gemakkelijk doorslippen. Zoals bij het wegrijden, bij het maken van bochten of bij het remmen (blokkeren). Hierdoor wordt de bromfiets onbestuurbaar. Dat betekent dat je je snelheid langzaam moet op- en afbouwen. Als je moet remmen, doe dat dan gedoceerd en met beide remmen gelijktijdig.
- Als het wegdek nat is, zijn met name strepen op het wegdek glad en worden de remschijven meestal ook nat. Eerst moeten de remschijven droog geremd worden voordat effectief geremd kan worden. Daar komt nog bij dat de wrijving op een nat wegdek minder is, waardoor de remweg langer wordt. Begin dus eerder met remmen.

- Bij sneeuwval en regen moet je extra oppassen voor slecht zichtbare fietsers, omdat de dynamo van een fiets dan minder goed functioneert.
- In de winter kan de laagstaande zon in combinatie met een vochtig of gepekeld wegdek zorgen voor een hinderlijke schittering zodat je zicht wordt verminderd.
- Bij sneeuw en hagel zijn de verkeerstekens minder goed zichtbaar, met name de tekens op het wegdek. Om deze reden zijn de borden verschillend van vorm. Denk maar eens aan de voorrangsborden (B1, B2 en B6), het 'stop'bord (B7) of de zogenaamde waarschuwingsborden (borden J1 t/m J38).
- Andere bestuurders kunnen ook last hebben van de slechte weersomstandigheden, automobilisten hebben bijvoorbeeld bij vochtig en koud weer vaak last van beslagen ruiten, waardoor ze jou te laat kunnen opmerken.
- Als het hard waait, moet je oppassen. Soms leun je als het ware tegen de wind. Als de wind dan plotseling wegvalt, bijvoorbeeld bij het passeren van een gebouw, kun je een flinke stuurbeweging verwachten. Levensgevaarlijk voor jezelf en voor andere weggebruikers.

Tijdstip van vertrek en routekeuze

De meeste bromfietsongevallen vinden plaats binnen de bebouwde kom (71%); slechts 29% gebeurt buiten de bebouwde kom. De drukte van het verkeer en de verschillende soorten weggebruikers die met verschillende rijsnelheden rijden, spelen een belangrijke rol. Bij een ongeval buiten de bebouwde kom is, vooral door de hogere snelheden van het andere verkeer, de kans op een ernstige afloop groter dan bij een ongeval binnen de bebouwde kom.
Het aantal gewonde bromfietsers varieert per seizoen. De maanden september en oktober zijn recordmaanden wat ongevallen betreft; in deze maanden gebeurt 85% van de ongelukken. Een belangrijke oorzaak hiervan is dat in september de scholen weer beginnen. Veel beginnende bromfietsers hebben in de zomermaanden een nieuwe bromfiets aangeschaft waarmee ze voor het eerst naar school rijden. Soms gaan ze naar een nieuwe school en is de route nog onbekend. Verkennen van deze route kan veel ellende voorkomen.

Duopassagier

De passagier van een bromfiets moet op de juiste wijze op een deugdelijke zitplaats worden vervoerd. De amazonezit (beide benen aan één kant) is verboden. De voeten van de passagier moeten aan weerszijden van de bromfiets rusten op de voorgeschreven voetsteunen. Hij is ook verplicht een goed passende helm te dragen. Zowel de bestuurder als de passagier (vanaf 12 jaar) zijn ieder voor zich strafbaar als ze geen helm dragen.

Als je kinderen jonger dan 8 jaar achterop de bromfiets meeneemt, moet je speciale maatregelen treffen. Kleine kinderen mogen alleen achterop zitten als ze een veilige zitplaats hebben met voldoende steun voor rug, handen en voeten. Het veiligst kun je kinderen in een speciaal kinderzitje vervoeren.
Jij hebt de verantwoording voor de veiligheid bij het vervoer van je passagiers. Vergeet niet dat de passagier tijdens het rijden volledig afhankelijk is van jou. Voor passagiers beneden de 12 jaar die geen helm dragen is de bestuurder verantwoordelijk.

Lading

Neem je iets van bagage of lading mee, houd er dan rekening mee, dat die lading niet breder mag zijn dan 1 m en geen scherpe delen mag hebben. Zet de lading altijd vast. Je mag bij het besturen van de bromfiets niet door lading (of passagiers) gehinderd worden. Dus twee handen aan het stuur. Houd er verder rekening mee dat het mee-voeren van passagiers en lading je rijgedrag kan beïnvloeden.

Rijvaardigheidsbeïnvloedende middelen

Rijden onder invloed

Veel mensen drinken op feestjes, fuifjes en verjaardagspartijen graag een biertje, borreltje of wijntje. Het is natuurlijk helemaal niet verboden alcohol te drinken en zolang je zelf niet hoeft te rijden, is er niets aan de hand, maar wel wanneer je na het drinken van alcohol op de bromfiets stapt. Alcohol hoort namelijk niet thuis in het verkeer.

Wettelijke promillage

Als je op 16 of 17 jarige leeftijd je rijbewijs AM haalt val je gedurende 7 jaar onder het begrip beginnend bestuurder. Haal je op 18 jarige leeftijd je rijbewijs, dan geldt daarvoor een termijn van 5 jaar. Ga je een bromfiets besturen dan geldt voor jou dat het alcoholgehalte van het bloed niet hoger mag zijn dan 0,2 milligram alcohol per milliliter bloed (bloedalcoholgehalte [BAG] 0,2 ‰) en dat het ademalcoholgehalte (AAG) niet hoger mag zijn dan 88 microgram per liter uitgeademde lucht. Beide worden bereikt bij het drinken van 1 standaard glas alcoholhoudende drank in één uur tijd. Na de genoemde 7 of 5 jaar geldt de norm van 0,5 ‰ per milliliter bloed cq. 220 microgram per liter uitgeademde lucht. Alcoholhoudende dranken worden meestal gedronken uit standaard glazen, die zijn afgestemd op de soort drank. Bier bevat meestal 5% alcohol en wordt gedronken uit een groot glas. Jenever bevat ongeveer 35% alcohol en wordt gedronken uit een klein soort glas. Dat betekent dat in elk standaardglas ongeveer evenveel pure alcohol zit (12 cm^3).

Rijbevoegdheid
De rijbevoegdheid kan bij rijden onder invloed voor een bepaalde termijn of blijvend worden ontzegd. In feite is van rijden onder invloed al direct sprake na het gebruik van bijvoorbeeld één glas bier, wijn of sterke drank. Rijden onder invloed van alcohol met een te hoog percentage is ongeacht de mate van overschrijding een misdrijf. Wanneer je onder invloed van alcohol een ongeval veroorzaakt is de verzekeringsmaatschappij weliswaar verplicht de schade te vergoeden waarvoor je aansprakelijk wordt gesteld, maar het is mogelijk dat de maatschappij deze schade vervolgens weer op jou verhaalt. Bij een All-risk verzekering hoeft de verzekeringsmaatschappij bij rijden onder invloed van de verzekerde de schade aan de eigen bromfiets niet uit te betalen. Bij ongeveer 5% van de bromfietsongevallen had de bromfietser te veel alcohol gedronken.

Alcoholopname
Alcohol komt via de slokdarm in de maag. Een klein gedeelte van de alcohol zal door de maagwand heen worden opgenomen in het bloed. De rest van de alcohol gaat verder naar de darmen. Door de wand van de dunne darm komt de rest van de alcohol vervolgens in het bloed terecht. Als de alcohol eenmaal in het bloed zit, zal de alcohol door de bloedsomloop in heel korte tijd in het lichaam worden verspreid. In alle weefsels van het lichaam die vocht bevatten, zal dan ook alcohol zitten. Alcohol komt in de longblaasjes voor (vandaar de proef met het blaaspijpje) en in de hersenen. Het alcoholpromillage geeft aan hoeveel gram alcohol per liter bloed is opgenomen.

De volgende factoren zijn van invloed op de opname van alcohol in het bloed:
- **Lichaamsgewicht:** de opgenomen alcohol wordt verdeeld over de totale hoeveelheid vocht in het lichaam (het menselijk lichaam bestaat voor ongeveer $^2/_3$ deel uit vocht).
- **Voedsel in de maag:** een volle maag vertraagt de opname van alcohol in het bloed, maar de invloed houdt langer aan.
- **Snelheid van drinken:** binnen een uur drie standaard glazen alcoholhoudende drank drinken leidt zeker tot een hoger alcoholgehalte dan 0,5 ‰.

Afbraaktijd
Realiseer je dat, als je een avondje gaat stappen en wat biertjes drinkt, de ochtend daarop nog niet alle alcohol is afgebroken. Dat betekent als je met de bromfiets naar school of werk gaat je nog behoorlijk onder invloed van alcoholhoudende drank kan zijn. Per standaard glas alcoholhoudende drank moet worden gerekend op één tot anderhalf uur afbraaktijd. Schadelijke stoffen die in ons lichaam komen, worden afgebroken door de lever. Ook alcohol is voor het lichaam een schadelijke stof. De lever speelt daarom een belangrijke rol bij de afbraak van alcohol. Er bestaat geen enkel trucje of middel dat de werking van de lever en dus de afbreektijd van alcohol kan versnellen.

Nadelige invloed van alcohol op je gedrag:

Waarneming: je waarnemingsvermogen wordt minder. Enerzijds merk je minder op in het verkeer. Anderzijds is er sprake van een vernauwing van het blikveld, ook wel tunneleffect of tunnelvisie genoemd. Je kijkt als het ware recht vooruit en belangrijke informatie, links en rechts in je blikveld, zie je niet meer. Tevens ontstaan oogtrillingen die heviger worden naarmate je meer zijwaarts kijkt.

Concentratie: in drukke situaties kun je minder goed je aandacht verdelen. Tegelijkertijd letten op verschillende soorten verkeer lukt niet meer goed, omdat je oog trager reageert en langer blijft hangen op één bepaald punt.

Reactiesnelheid: je reageert veel trager.

Kleur: De kleur rood kun je minder goed onderscheiden met als nadeel dat je lichten zoals remlichten te laat opmerkt.

Inschattingsvermogen: je overschat je eigen kunnen, waardoor je dus roekelozer wordt.

Puntenstelsel

In het puntenstelsel (officieel "Recidiveregeling voor ernstige verkeersdelicten") wordt je rijbewijs voor alle categorieën motorvoertuigen (óók voor de bromfiets) automatisch ongeldig, als je binnen 5 jaar twee keer door de rechter bent veroordeeld voor een alcoholdelict.

Het eerste delict, waarvan 5 jaar wordt bijgehouden dat je het hebt begaan is één van de volgende drie:

1. Je veroorzaakt een ongeval waarbij een dode of ernstig gewonde valt, terwijl
   a. je zoveel alcohol op hebt dat je ademalcoholgehalte groter is dan 220 microgram per liter ademlucht, of je bloedalcoholgehalte groter is dan 0,5 ‰ (of, als je een beginnersrijbewijs hebt of rijdt met een motorvoertuig of bromfiets waarvoor je geen rijbewijs hebt: 88 microgram per liter c.q. 0,2 ‰) of
   b. je weigert mee te werken aan een ademtest, bloedonderzoek of een vervangend onderzoek als een bloedonderzoek medisch niet mogelijk is;
2. je wordt aangehouden terwijl je zoveel alcohol op hebt dat je ademalcoholgehalte groter is dan 220 microgram per liter ademlucht, of je bloedalcoholgehalte groter is dan 0,5 ‰ (of, als je een beginnersrijbewijs hebt of rijdt met een motorvoertuig of bromfiets waarvoor je geen rijbewijs hebt: 88 microgram per liter c.q. 0,2 ‰) of
3. je weigert mee te werken aan een blaastest, bloedonderzoek of een vervangend onderzoek als een bloedonderzoek medisch niet mogelijk is.

Het tweede delict is één van de volgende drie:

1. Je veroorzaakt een ongeval waarbij een dode of ernstig gewonde valt, terwijl
   a. je zoveel alcohol op hebt dat je ademalcoholgehalte groter is dan 570 microgram per liter ademlucht, of je bloedalcoholgehalte groter is dan 1,3 ‰ of
   b. je weigert mee te werken aan een ademtest, bloedonderzoek of een vervangend onderzoek als een bloedonderzoek medisch niet mogelijk is;

2. je wordt aangehouden terwijl je zoveel alcohol op hebt dat je ademalcoholgehalte groter is dan 570 microgram per liter ademlucht, of je bloedalcoholgehalte groter dan 1,3 ‰ of
3. je weigert mee te werken aan een blaastest, een bloedonderzoek of een alternatief onderzoek als een bloedtest om medische redenen niet mogelijk is.

Voor de recidiveregeling wordt een strafbeschikking (bekeuring) gelijkgesteld aan een veroordeling. Is je rijbewijs op deze manier ongeldig geworden, dan ben je verplicht het in te leveren bij de Dienst Wegverkeer. Woon je in Nederland, maar heb je een buitenlands rijbewijs, dan wordt ook dat ongeldig en dien je het in te leveren.

Bromfietsrijden en het gebruik van geneesmiddelen

De wet zegt dat het verboden is een bromfiets te besturen als je bepaalde geneesmiddelen hebt gebruikt die de rijvaardigheid verminderen. Veel geneesmiddelen hebben een negatieve invloed op de rijvaardigheid en je mag na gebruik van deze geneesmiddelen dan ook niet meer op een bromfiets rijden.
Binnen de categorie geneesmiddelen zijn er twee groepen te onderscheiden: rijgevaarlijke middelen en middelen waarvoor je rijveilige alternatieven kunt verkrijgen. Het is dus belangrijk goed met je arts of de apotheker te bespreken of een voorgeschreven geneesmiddel de rijvaardigheid beïnvloedt en welke alternatieven er eventueel zijn. Er zijn ook geneesmiddelen, waarvoor je geen recept nodig hebt die de rijvaardigheid negatief kunnen beïnvloeden. Hou er vervolgens rekening mee, dat ook bijvoorbeeld koorts of zware griep een ongunstige uitwerking op je rijvaardigheid kunnen hebben. Geneesmiddelen die de rijvaardigheid kunnen beïnvloeden, zijn voorzien van een gele sticker.

DIT MEDICIJN KAN DE
RIJVAARDIGHEID BEINVLOEDEN
www.rijveiligmetmedicijnen.nl

Effect van geneesmiddelen op rijvaardigheid

Het effect van geneesmiddelen op de rijvaardigheid is verraderlijk en niet altijd direct merkbaar. Het is bijvoorbeeld mogelijk dat je bij drukte nog goed reageert. Zodra het verkeer wat rustiger wordt en je je minder hoeft te concentreren, kan het gebeuren dat je concentratie onverwacht wegzakt. Daardoor reageer je te laat op een plotseling veranderende situatie.

Als geneesmiddelen gebruikt worden is het ook belangrijk te weten hoe je er mee moet omspringen. Verkeerd gebruik van geneesmiddelen is heel gevaarlijk. De volgende gebruiksaanwijzingen gelden in z'n algemeenheid bij gebruik van geneesmiddelen:

- Sommige geneesmiddelen kunnen bij hoge dosering wel de rijvaardigheid beïnvloeden, terwijl dat bij een lagere dosering niet het geval is.
- Alcohol en geneesmiddelen kunnen de werking van elkaar versterken en soms is de werking meer dan dubbel zo sterk.
- Als je meerdere geneesmiddelen tegelijk gebruikt kunnen de bijwerkingen elkaar versterken of kunnen er extra bijwerkingen optreden.
- Sommige geneesmiddelen (zeker slaapmiddelen) zijn 10 uur na inname nog werkzaam en bijvoorbeeld vergelijkbaar met 12 glazen alcoholhoudende drank.
- De effecten van geneesmiddelen zijn het sterkst in de eerste week dat je het geneesmiddel gebruikt.

Verkeersdeelname na drugsgebruik

Bijna iedereen weet wel dat het gebruik van alcohol of slaapmiddelen de rijvaardigheid beïnvloedt. Maar veel mensen staan er niet bij stil dat drugs óók de rijvaardigheid beïnvloeden. In verdovende middelen als hasj, marihuana, cocaïne en heroïne, maar ook in de zogenaamde geestverruimende middelen als XTC of diverse paddestoelen (paddo's) zitten stoffen die in het bijzonder inwerken op de hersenfuncties.

Effecten van drugs op de rijvaardigheid

Het negatieve effect van drugs of verdovende middelen die de rijvaardigheid beïnvloeden is gedeeltelijk te vergelijken met dat van alcohol en bepaalde geneesmiddelen: het waarnemingsvermogen wordt verstoord en je concentratie-, reactie- en inschattingsvermogen nemen af.

Daarnaast kan bij gebruik van deze stoffen nog sprake zijn van:

- Overgevoeligheid voor licht: het licht doet pijn aan je ogen.
- Verstoring van het evenwichtsgevoel: je evenwichtsgevoel wordt aangetast en daardoor voel je je duizelig.
- Verstoring van de lichaamscoördinatie: als gevolg van het drugsgebruik krijg je een stoned gevoel en heb je heel zware armen en benen.
- Het ontstaan van angst, waardoor je bij inhaalmanoeuvres gaat twijfelen

Wettelijke grenzen drugs/alcohol

Als je verschillende drugs tegelijk gebruikt of je gebruikt een combinatie van drugs en alcohol in het verkeer dan neemt het risico op ernstig of dodelijk letsel sterk toe.
Als je dat doet mag je niet meer als bestuurder aan het verkeer deelnemen. Voor een gecombineerd gebruik geldt n.l. de zogenoemde nul-limiet. Als je één drug gebruikt volstaat de zogeheten gedragsgerelateerde grenswaarde. Dat wil niet altijd zeggen dat

je dan in staat bent een voertuig te besturen. Als je alleen alcohol gebruikt gelden de huidige grenswaarden: 0,2 ‰ voor de beginnende bestuurder en 0,5 ‰ voor de ervaren bestuurder.

Verkeersdeelname bij emotionele instabiliteit

Soms hebben mensen te maken met ingrijpende emotionele gebeurtenissen. Je ouders kunnen bijvoorbeeld gaan scheiden, er is iemand overleden, je hebt problemen op school en dergelijke. Zulke nare gebeurtenissen kunnen een negatieve invloed hebben op je rijprestaties. Je aandacht is dan vooral bij deze nare gebeurtenissen en niet gericht op het verkeer. Hierdoor kan het gebeuren dat je minder snel reageert dan anders, of dat je prikkelbaar bent en daardoor agressief rijgedrag vertoont. Ga dan met het openbaar vervoer.

Verkeersdeelname bij vermoeidheid

Ook vermoeidheid heeft een negatieve invloed op je rijprestatie. Dit komt, omdat je concentratievermogen en je reactievermogen afnemen. Als je merkt dat je al moe bent voordat je gaat bromfietsen, is het beter de rit uit te stellen. Rij dan met iemand mee of maak gebruik van het openbaar vervoer, zoals trein, tram, bus of metro.

Controle en gevolgen alcohol, drugs en geneesmiddelen

Onderzoek alcohol en drugs

Je bent op straat altijd verplicht medewerking te verlenen aan een 'voorlopig onderzoek', ook als de politie geen alcoholgebruik bij je heeft vastgesteld. Deze verplichting bestaat al op het moment dat wordt vastgesteld dat je aanstalten maakt om te gaan rijden. Dat onderzoek bestaat uit een ademtest met een elektronische tester. Je moet tijdens deze test alle gegeven aanwijzingen stipt opvolgen.
Word je er van verdacht onder invloed van drugs te zijn, dan ben je verplicht om mee te werken aan een speekseltest. Met behulp van een speekseltester wordt er speeksel van je afgenomen.
Als de testen op straat daartoe aanleiding geven, dan ben je ook verplicht om mee te werken aan een nader onderzoek. In geval van alcohol wordt er dan – middels een apparaat – een ademanalyse uitgevoerd.
Als je drugs hebt gebruik ben je in dat geval verplicht om aan een bloedproef mee te werken. De uitslag van de analyse geldt dan als bewijsmateriaal.

Weigering

Als je weigert aan één van de onderzoeken mee te werken, pleeg je een misdrijf. Je zult dan ook als zodanig bestraft worden en het levert tevens een punt op voor het puntenrijbewijs.

Rijverbod

Bijna altijd legt de politie bij geconstateerd alcohol- of druggebruik een rijverbod op, dat tot maximaal 24 uur kan oplopen. Zo'n rijverbod geldt ook voor de fiets.

LEMA- en EMA-cursus

Deze twee educatieve maatregelen kunnen worden opgelegd bij de constatering dat er bij bestuurders een te hoog alcoholpercentage is geconstateerd.
Als de politie je aanhoudt en met een blaastest een alcoholovertreding constateert, dan meldt zij dat aan het CBR. Op basis van deze mededeling krijg je een LEMA (Lichte Educatieve Maatregel Alcohol en verkeer) of EMA (Educatieve Maatregel Alcohol en verkeer) opgelegd door het CBR. Als je aan de criteria voor het volgen van een maatregel voldoet krijg je een brief thuis met een oproep en verdere informatie.
Het doel van deze cursussen is je te leren alcohol en verkeer van elkaar te scheiden.
Wordt één van deze maatregelen opgelegd, dat ben je verplicht deze cursus te volgen op eigen kosten. Doe je dat niet dan wordt je rijbewijs ongeldig verklaard. Dat betekent dus dat je weer opnieuw je rijbewijs moet gaan halen.
Wordt de cursus met goed gevolg afgesloten dan wordt de procedure beëindigd en blijft je rijbewijs geldig.
Als je na het volgen van de LEMA opnieuw wordt aangehouden voor rijden onder invloed dan legt het CBR een zwaardere maatregel op, zoals het alcoholslotprogramma of een onderzoek alcohol. Dat geldt ook als je binnen 5 jaar na het volgen van de EMA daarvoor wordt aangehouden. Het feit dat je niet hebt geleerd van de (L)EMA, weegt dan mee in de beslissing van het CBR.

LEMA-cursus

De LEMA is voor de beginnende bestuurder bij wie een bloed- of ademalcoholgehalte is geconstateerd tussen 0,5‰ en 0,8‰ (tussen 220 ug/l en 350 ug/l) en voor de ervaren bestuurder bij wie een bloed- of ademalcoholgehalte is geconstateerd dat gelijk is aan of hoger is dan 0,8‰ maar lager is dan 1,0‰ (resp. 350 ug/l en 435 ug/l).
De cursus bestaat uit tweedagdelen.

EMA cursus

Het belangrijkste criterium voor een EMA is een geconstateerd alcoholpromillage tussen de 1,0 en 1,3 ‰ (tussen 435 en 570 ug/l) voor ervaren bestuurders. Voor beginnende bestuurders geldt een alcoholpromillage tussen 0,8 ‰ en 1,0 ‰ (tussen 350 en 435 ug/l).
De cursus bestaat uit een gehele dag, gevolgd door twee dagdelen en een nagesprek, verspreid over zeven weken.

Bron: CBR

3. Nu het verkeer in

Inleiding

Voordat je met je bromfiets het verkeer in mag, moet je eerst de belangrijkste verkeersregels kennen. In dit hoofdstuk leer je de belangrijkste verkeersregels voor de bromfiets uit de Wegenverkeerswet 1994 (WVW 1994) en het Reglement Verkeersregels en Verkeerstekens 1990 (RVV1990).

Algemene norm

Aan de basis van alle verkeersregels ligt artikel 5 van de Wegenverkeerswet 1994 ook wel de algemene norm genoemd. De regels beogen een veilig gebruik van de weg. In het verkeer is het echter niet mogelijk om voor alle specifieke situaties een regel te maken. De algemene norm voorziet in de gevallen waarin regels ontbreken en geldt dus altijd.

De algemene norm luidt: Het is een ieder verboden zich zodanig te gedragen dat gevaar op de weg wordt veroorzaakt of kan worden veroorzaakt of dat het verkeer op de weg wordt gehinderd of kan worden gehinderd.

Gevaar en hinder

De algemene norm is gericht op sociaal weggedrag waarbij ook rekening gehouden wordt met fouten van andere weggebruikers. Met name het veroorzaken van gevaar is een belangrijk aspect. Zelfs de kans op het veroorzaken van gevaar is strafbaar. Stoer rijgedrag waarbij je met je bromfiets gaat slingeren is een voorbeeld waaruit gevaar kan ontstaan. Een ander aspect is het hinderen. Omdat er al snel sprake is van enige hinder (eigenlijk alleen al door je aanwezigheid op de weg) wordt hier vooral de onnodige hinder bedoeld. Denk daarbij aan het met de bromfiets onnodig langzaam rijden of het expres even remmen. De laatste twee voorbeelden kunnen ook al snel gevaar opleveren. Het overtreden van een aantal verkeersregels tegelijk (rood licht, te hoge snelheid en gevaarlijk inhalen) kan ook leiden tot veroordeling op grond van de algemene norm.

Aanwijzingen, verkeerstekens en verkeersregels

Naast de verkeersregels zijn soms aanvullende maatregelen nodig. Daarom kunnen verkeersregels ondersteund worden door verkeerstekens. Toch zijn er situaties denkbaar dat de regels en tekens even buiten werking worden gezet. Dat gebeurt bijvoorbeeld bij calamiteiten zoals ongevallen. Ook bij grote evenementen is het soms noodzakelijk in te grijpen in het normale gebeuren. Dat wordt gedaan middels aanwijzingen. Je bent dan als weggebruikers verplicht de aanwijzingen op te volgen die mondeling of door middel van gebaren worden gegeven door de als zodanig herkenbare ambtenaren. Dat geldt ook voor militairen van de Koninklijke Marechaussee en de als zodanig herkenbare verkeersregelaars en verkeersbrigadiers. Ook ben je verplicht te stoppen

als jou door een begeleider van een railvoertuig een stopteken met een bord, een rode vlag of een rode lamp wordt getoond.
Je dient de aanwijzingen onmiddellijk op te volgen, ook al gaan zij tegen de verkeersregels en de verwachtingen van de weggebruikers in. Naast aanwijzingen die persoonlijk door bijvoorbeeld de politie worden gegeven is het ook mogelijk om door middel van verlichte transparanten op voertuigen een aanwijzing te krijgen (bijvoorbeeld: volgen).

Rangorde aanwijzingen, verkeerstekens en verkeersregels
Aanwijzingen kunnen tegenstrijdig zijn met de ter plaatse aanwezige verkeerstekens of geldende verkeersregels. Verkeerstekens geven soms ook iets anders aan dan verkeersregels. Daarom is er een rangorde in de aanwijzingen, verkeerstekens en verkeersregels aangebracht.

Daarbij gelden de volgende regels:
- Aanwijzingen gaan altijd boven verkeerstekens en verkeersregels.
- Alle weggebruikers zijn verplicht verkeerstekens op te volgen die een gebod of verbod inhouden.
- Verkeerstekens gaan boven verkeersregels, als deze regels onverenigbaar zijn met de verkeerstekens.
- Verkeerslichten gaan boven verkeerstekens die de voorrang regelen.

Begrippen m.b.t. verkeer

Iedere dag is het een drukte van belang op de weg. Er zijn veel soorten wegen en er is veel verkeer. Maar wat verstaan we eigenlijk onder (delen) van een weg? En verkeer, wat is dat precies? Om de verkeersregels goed te begrijpen heb je kennis van die begrippen nodig. Een aantal van deze begrippen kom je tegen bij de specifieke onderwerpen. De meest voorkomende begrippen volgen hieronder.

Wegen
Wegen zijn alle voor het openbaar verkeer openstaande wegen of paden met inbegrip van de daarin liggende bruggen en duikers en de tot die wegen behorende paden en bermen of zijkanten.

Rijbaan
Dat is elk voor rijdende voertuigen bestemd weggedeelte met uitzondering van de fiets-paden en de fiets/bromfietspaden.

Rijstrook
Dat is een door doorgetrokken of onderbroken strepen gemarkeerd gedeelte van de rijbaan van zodanige breedte dat bestuurders van motorvoertuigen op meer dan twee wielen daarvan gebruik kunnen maken.

Een rijbaan en een rijstrook worden, zeker in de bebouwde kom, veel door bromfietsers gebruikt.

Busbaan
Dat is een rijbaan waarop het woord 'BUS' of 'LIJNBUS' is aangebracht.

Busstrook
Dat is een door doorgetrokken of onderbroken strepen gemarkeerd gedeelte van de rijbaan waarop het woord 'BUS' of 'LIJNBUS' is aangebracht.

De busbaan en busstrook zijn voor brommobielen en bromfietsers verboden gebied. Alleen autobussen of lijnbussen zijn daar toegelaten.

Haaientanden
Haaientanden zijn voorrangsdriehoeken op het wegdek. De haaientanden zijn meestal geplaatst in combinatie met bord B6, maar hebben ook als ze zonder dit bord zijn aangebracht, de betekenis dat er aan bestuurders op de kruisende weg voorrang moet worden verleend.

Kruispunt
Dat is een kruising of splitsing van wegen.

Verkeer
Verkeer zijn alle weggebruikers.

Weggebruikers
Weggebruikers zijn alle personen die gebruik maken van de weg, dat zijn: Voetgangers, fietsers, bromfietsers, bestuurders van een gehandicaptenvoertuig, bestuurders van een motorvoertuig of van een tram, ruiters, geleiders van rij- of trekdieren en vee, bestuurders van een bespannen of onbespannen wagen.

Bestuurders
Bestuurders zijn alle weggebruikers behalve voetgangers.

Voetgangers
Voetgangers zijn alle personen die zich in het verkeer lopend voortbewegen, zij hebben geen bescherming en worden daarom ook wel de zwakkere weggebruikers genoemd. Als je een fiets, bromfiets of motorfiets aan de hand meevoert moet je de regels van voetgangers volgen.

Voertuigen
Voertuigen zijn fietsen, bromfietsen, snorfietsen, brommobielen, gehandicaptenvoertuigen, motorvoertuigen, trams en wagens. Kinderwagens en kruiwagens zijn geen wagens. In principe is alles wat rijdt of glijdt een voertuig.

Motorvoertuigen
Motorvoertuigen zijn alle gemotoriseerde voertuigen behalve bromfietsen, fietsen met trapondersteuning en gehandicaptenvoertuigen, bestemd om anders dan langs rails (trein of tram) te worden voortbewogen.
Hoewel de bromfiets is uitgerust met een motor, behoort hij, zoals je hierboven ziet, niet tot de motorvoertuigen.

Bestemmingsverkeer
Bestemmingsverkeer zijn bestuurders van wie het reisdoel één of meer percelen betreft die zijn gelegen aan of in de directe nabijheid van een weg met een door verkeerstekens aangegeven geslotenverklaring voor bepaalde categorieën bestuurders. Voorwaarde is wel dat zij slechts via deze weg de percelen kunnen bereiken. Bestuurders van lijnbussen vallen ook onder bestemmingsverkeer.

Militaire colonnes
Een militaire colonne is een aantal zich achter elkaar bevindende militaire motorvoertuigen of motorvoertuigen van een onderdeel van de rampenbestrijdingsorganisatie onder leiding van één commandant en die de volgende vastgestelde herkenningstekens voeren:
- het eerste motorvoertuig moet zowel aan de linker- als aan de rechtervoorzijde zijn voorzien van een blauwe vlag;
- de volgende motorvoertuigen moeten aan de rechtervoorzijde zijn voorzien van een blauwe vlag;
- het laatste motorvoertuig moet aan de rechtervoorzijde zijn voorzien van een groene vlag.

Uitvaartstoet van motorvoertuigen
Een stoet motorvoertuigen, die een lijk of de as van een gecremeerd lijk begeleiden en die de vereiste herkenningstekens voeren.

Snorfietsen
Snorfietsen zijn bromfietsen waarvan de snelheid is beperkt tot 25 km per uur. Ze kunnen sterk lijken op scooters. Voor bestuurders en passagiers van snorfietsen geldt geen helmplicht. Snorfietsen zijn te herkennen aan een blauwe kentekenplaat op de achterzijde. Vanaf 16 jaar mag je met een snorfiets rijden. Een rijbewijs AM is dan verplicht. Een verzekering natuurlijk ook.

Brombakfietsen
Brombakfietsen zijn bromfietsen op 3 symmetrisch geplaatste wielen met 2 voorwielen met een diameter van meer dan 0,40 m. Ze zijn uitsluitend ingericht voor het vervoeren van de bestuurder en van goederen en eventueel een achter de bestuurder gezeten passagier.
De bestuurder volgt exact dezelfde regels als die van bromfietsers met uitzondering van het dragen van een helm voor bestuurder en passagier.

Gehandicaptenvoertuig
Bestuurders mogen zelf een keuze maken waar ze gaan rijden: voetpad, trottoir, fiets-/bromfietspad of op de rijbaan.
Op het voetpad en trottoir geldt een maximumsnelheid van 6 km per uur.

Brommobiel
Een brommobiel is een bromfiets op meer dan 2 wielen met een carrosserie. Het verschil tussen een bromfiets en een brommobiel is dat een brommobiel een carrosserie heeft in plaats van alleen maar een frame.

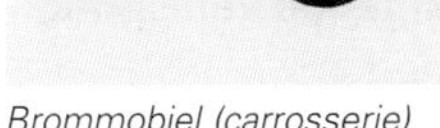
Brommobiel (carrosserie)

Bromfiets (frame)

Een brommobiel is te herkennen aan:
- de achterzijde door een gele kentekenplaat met zwarte letters;
- de achterzijde door een wit rond plaatje met een rode rand met daarin de zwarte cijfers 45;
- een carrosserie open of gesloten.

Eisen m.b.t. brommobielen

Afmetingen
De afmetingen die een brommobiel mag hebben zijn:
hoogte : maximum 2,50 m;
lengte : maximum 4,00 m;
breedte : maximum 2,00 m.

Inrichtingseisen
Brommobielen (met een gesloten carrosserie) moeten voorzien zijn van:
- een goed werkende snelheidsmeter, die ook bij nacht voor de bestuurder goed afleesbaar is;
- een bedrijfsreminrichting waarmee de remvertraging op een droge of nagenoeg droge en ongeveer horizontaal liggende weg ten minste 4,0 m/s^2 bedraagt. De bedrijfsreminrichting moet op alle wielen werken.
- een deugdelijke handrem;
- een goed werkende ruitenwisserinstallatie die de bestuurder voldoende uitzicht geeft;

- een binnenspiegel en een linker buitenspiegel dan wel zijn voorzien van een linker- en een rechter buitenspiegel. De spiegels moeten voldoen aan de eisen van het gezichtsveld.
- goed sluitende deuren die van binnen en van buiten op normale wijze kunnen worden geopend;
- het slot en de scharnieren van de motorkap en het kofferdeksel moeten een goede sluiting waarborgen en niet in ernstige mate door roest zijn aangetast;
- autogordels voor alle naar voren gerichte zitplaatsen. De autogordels moeten deugdelijk zijn bevestigd en voldoen aan de eisen van sterkte, sluiting en blokkering. Sommige brommobielen zijn ook voorzien van een airbag.

Brommobielen mogen geen scherpe delen hebben die in geval van botsing gevaar voor lichamelijk letsel voor andere weggebruikers kunnen opleveren. De wielen en banden mogen niet aanlopen. Ook mag geen deel aan de buitenzijde zodanig zijn bevestigd, beschadigd, versleten of door corrosie zijn aangetast, dat gevaar bestaat voor losraken.

Een brommobiel moet zijn voorzien van de volgende verlichting:
Als een brommobiel **tussen 1 m en 1,30 m breed** is:
- één of twee dimlichten (wit of geel);
- één of twee stadslichten (wit of geel);
- één of twee achterlichten (rood);
- één of twee remlichten en (rood);
- aan de achterzijde één niet driehoekige rode retroreflector (rood).

Als een brommobiel **meer dan 1,30 m breed** is:
- twee dimlichten;
- twee stadslichten;
- twee achterlichten;
- twee remlichten;
- aan de achterzijde twee niet driehoekige rode retroreflectoren.

Alle bromfietsen moeten twee richtingaanwijzers aan de voorkant (ambergeel of wit) en twee richtingaanwijzers aan de achterkant (ambergeel of rood) hebben.

Een brommobiel **mag** voorzien zijn van de volgende verlichting:
- één of twee grote lichten indien de breedte van het voertuig 1,30 m of minder bedraagt en twee grote lichten als de breedte van het voertuig meer dan 1,30 m bedraagt;
- twee richtingaanwijzers aan de voorzijde en twee richtingaanwijzers aan de achterzijde en waarschuwingsknipperlichten als het voertuig niet is voorzien van een gesloten carrosserie;
- kentekenplaatverlichting, (wit licht, het licht mag niet naar achteren stralen);
- ambergele retroreflectoren aan de zijkanten van het voertuig;

- naar voren gerichte witte retroreflectoren;
- twee mistlichten aan de voorzijde van het voertuig;
- één of twee mistlichten aan de achterzijde van het voertuig;
- één of twee achteruitrijlichten;
- één derde remlicht.

Brommobielen mogen, met uitzondering van groot licht, niet zijn voorzien van verblindende verlichting. Ook mogen zij, met uitzondering van de richtingaanwijzers en de waarschuwingsknipperlichten, niet zijn voorzien van knipperende verlichting.

Verkeersregels voor bestuurders van brommobielen

De regels van het RVV 1990 voor motorvoertuigen, bestuurders en passagiers van motorvoertuigen gelden, in plaats van regels voor bromfietsen, ook voor brommobielen en bestuurders en passagiers van brommobielen.
Dat heeft overigens nogal wat consequenties als wordt deelgenomen aan het verkeer. Hieronder volgen enige specifieke regels en borden waar een bestuurder van een brommobiel rekening mee dient te houden.

Plaats op de weg

Als bestuurder van een brommobiel moet je de rijbaan volgen. Het is niet toegestaan om op het fietspad, fiets-/bromfietspad en fietsstroken te rijden. Ook als buiten de bebouwde kom een BOF(bromfietsers op het fiets-/bromfietspad) bord is geplaatst blijf je de rijbaan volgen. Ook het onverplichte fietspad is verboden terrein voor de bestuurder van een brommobiel.

Bord G13

Aanduiding voor bromfietsers naar het fiets-/bromfietspad

De plaats op de rijbaan is zoveel mogelijk rechts.

Maximumsnelheid

Voor brommobielen geldt zowel binnen als buiten de bebouwde kom een maximum-snelheid van 45 km per uur.

Overwegen

Een overweg mag pas worden opgegaan, als direct kan worden doorgegaan en de overweg geheel kan worden vrijgemaakt.
Bij overwegen moet je een spoorvoertuig (trein) voor laten gaan en je moet daarbij de overweg geheel vrij laten.

Rotonde

Als bestuurder van een brommobiel mag je vlak voor of op een rotonde rechts inhalen.

Gebruik van auto(snel)wegen

Een brommobiel volgt de regels voor motorvoertuigen echter, zij mogen geen gebruik maken van een autoweg of een autosnelweg. Een autosnelweg mag alleen maar worden gebruikt door motorvoertuigen waarmee met een snelheid van ten minste 60 km per uur mag en kan worden gereden. Voor het gebruik van de autoweg geldt dat men met een motorvoertuig een snelheid van minimaal 50 km per uur mag en kan rijden. Een opgevoerde brommobiel waarmee 70 km per uur gereden kan worden, mag dus geen gebruik maken van een auto(snel)weg. Deze brommobiel kan wel sneller dan 50 km per uur maar mag het niet!

Autogordels

- Als bestuurder van een brommobiel moet je de autogordel dragen.
- Volwassen passagiers (18 jaar en ouder) moeten voor- en achterin de autogordel dragen.
- Passagiers die jonger zijn dan 18 jaar, met een lengte van minder dan 1,35 m, maken gebruik van een voor hen geschikt kinderbeveiligingssysteem dat is voorzien van een goedkeuringsmerk.
- Als een brommobiel niet is uitgerust met een autogordel of kinderbeveiligingssysteem dat is voorzien van een goedkeuringsmerk, mogen passagiers in de leeftijd van 3 tot 18 jaar, die kleiner zijn dan 1,35 m, alleen achterin worden vervoerd. Passagiers tussen 0-3 jaar mogen dan niet vervoerd worden.
- Passagiers die jonger zijn dan 18 jaar, worden niet in een naar achteren gericht kinderzitje op een passagierszitplaats met een voorairbag vervoerd, tenzij deze airbag is uitgeschakeld of automatisch op toereikende wijze wordt uitgeschakeld.
- De bestuurder van een brommobiel is verantwoordelijk voor het vervoer van passagiers jonger dan 12 jaar.

Verdrijvingsvlakken

Met een brommobiel mag je de verdrijvingsvlakken en puntstukken niet gebruiken. Deze vlakken zijn vaak aangelegd om bescherming te bieden aan afslaande bestuurders.

Voeren van verlichting

Naast het verplicht voeren van dimlicht, achterlichten en de kentekenplaatverlichting zijn er ook omstandigheden waarin andere verlichting gevoerd mag worden.
Het achterlicht en de verlichting van de kentekenplaat moeten steeds gelijktijdig met groot licht, dimlicht, stadslicht of mistlicht worden gevoerd.

Mistlicht aan de voorzijde

Bij mist, sneeuwval of regen, die het zicht ernstig belemmert, mag mistlicht aan de voorzijde worden gevoerd.

Mistachterlicht

Bij mist of sneeuwval, die het zicht ernstig belemmert tot een afstand van minder dan

50 m, mag mistachterlicht worden gevoerd.
Het mistachterlicht mag alleen worden gevoerd bij mist en sneeuwval. Voeren van het mistachterlicht tijdens regen geeft een vertekend beeld. Achteropkomende weggebruikers kunnen dan het remlicht moeilijk onderscheiden van het fel uitstralende mist-achterlicht.
Het is toegestaan om één of twee mistachterlichten op een brommobiel te voeren.
Voor de veiligheid is het beter om één mistachterlicht aan te sluiten en wel aan de linkerachterzijde. Bij mist of sneeuwval kan verwarring ontstaan omdat twee mistachterlichten gezien worden als remlichten.

Licht tijdens stilstaan

Als een brommobiel buiten de bebouwde kom stilstaat op de rijbaan moet bij dag, indien het zicht ernstig wordt belemmert, en bij nacht stadslicht en achterlicht worden gevoerd.

Gevarendriehoek

Bij pech met een brommobiel is men verplicht om een gevarendriehoek te plaatsen als de brommobiel een obstakel vormt dat niet tijdig door naderende bestuurders kan worden opgemerkt. Dat geldt bijvoorbeeld bij het plaatsen van de brommobiel in een onoverzichtelijke bocht of op een helling. De gevarendriehoek moet goed zichtbaar op de weg worden geplaatst op ongeveer 30 m van de brommobiel en in die richting van het verkeer waarvoor het voertuig gevaar oplevert. Dat kan zowel voor als achter de brommobiel zijn. Als er waarschuwingsknipperlichten worden gevoerd is het plaatsen van een gevarendriehoek niet verplicht.

Verboden stil te staan

Stil gaan staan doe je uit vrije wil om tijdelijk de verkeersdeelname te beëindigen om te laden of te lossen of om in of uit te stappen. Je mag niet overal stil gaan staan met je brommobiel.
Stilstaan mag niet:
- op een kruispunt of overweg;
- op een fietsstrook of op de rijbaan naast een fietsstrook;
- op een oversteekplaats of binnen een afstand van 5 m daarvan;
- in een tunnel;
- bij een bord bushalte ter hoogte van de geblokte markering dan wel, ingeval de markering niet is aangebracht, op een afstand van 12 m van het bord. Dat geldt niet voor het onmiddellijk laten in- of uitstappen van passagiers;
- op de rijbaan langs een busstrook;
- langs een gele doorgetrokken streep;
- op een busstrook.

Parkeren

Naast het stilhouden/stoppen (gedwongen) en stilstaan (vrijwillig) kennen we ook het begrip parkeren. Als je een brommobiel parkeert wil dat zeggen dat je het voertuig

langer laat stilstaan dan nodig is voor het onmiddellijk in of uit laten stappen van passagiers of voor het onmiddellijk laden of lossen van goederen.
Een passagier laten uitstappen is dus géén parkeren.
Daarna achter het stuur een krantje lezen aan de kant van de weg is dus wél parkeren.

Verboden te parkeren

- op minder dan 5 m afstand van een kruispunt;
- voor een inrit of een uitrit;
- buiten de bebouwde kom op de rijbaan van een voorrangsweg;
- op een parkeergelegenheid anders dan op borden of onderborden wordt aangegeven;
- langs een gele onderbroken streep;
- op een plaats bestemd voor het onmiddellijk laden en lossen van goederen;
- op een parkeerplaats voor vergunninghouders, aangeduid door verkeersbord E9;
- als onder de verkeersborden E4 tot en met E8, E12 en E13 met onderborden anders wordt aangegeven.

De bestuurder mag zijn voertuig niet dubbel parkeren.
Indien een parkeergelegenheid, aangeduid met één van de verkeersborden E4 tot en met E13 van hoofdtuk 9, is voorzien van parkeervakken, mag slechts in die vakken worden geparkeerd.

Parkeren in een erf

Bord G5

Een brommobiel mag binnen een erf alleen parkeren op parkeerplaatsen die als zodanig zijn aangeduid of aangegeven. Zie het bord E4 of een tegel waarop een P is afgedrukt.

Bord E4

In een parkeerschijfzone mag een brommobiel parkeren op parkeer-plaatsen die als zodanig zijn aangeduid of aangegeven (bord E4 of tegel met een P) of plaatsen die zijn voorzien van een blauwe streep. Op plaatsen die zijn voorzien van een blauwe streep, mag alleen worden geparkeerd als gebruik wordt gemaakt van een parkeerschijf.
Een parkeerschijf mag alleen op de hele of halve uren worden ingesteld, waarbij de tijd naar boven toe moet worden afgerond naar het meest nabijgelegen hele of halve uur. De pijl van aankomst mag dus niet tussen de markeringsstreepjes van de parkeerschijf worden geplaatst.

Voorbeeld:

Aankomsttijd 9.05 uur. De parkeerschijf wordt ingesteld op 9.30 uur, dat is het meest nabijgelegen halve uur naar boven toe afgerond. Bij een toegestane parkeerduur van anderhalf uur wordt er in werkelijkheid anderhalf uur plus 25 minuten, dus bijna 2 uur geparkeerd. Op de achterkant van de parkeerschijf staat duidelijk vermeld hoe deze moet worden ingesteld.

Vervoer van personen in een brommobiel
Er mogen in een open of gesloten laadruimte van een brommobiel en in of op een aanhangwagen achter een brommobiel geen personen worden vervoerd.

Welke verkeersborden zijn voor een bestuurder van een brommobiel belangrijk?

C6:	Gesloten voor motorvoertuigen, dus ook voor brommobielen.
C8:	Hier mag wel ingereden worden, omdat een brommobilist sneller dan 25 km per uur mag rijden.
C9:	Hier mag niet ingereden worden. Hier is brommobiel met name genoemd.
C10:	Hier mag met een brommobiel met aanhangwagen niet worden ingereden.
C12:	Hier mag met een brommobiel niet ingereden worden.
C13, C14, C15 en C16:	Hier mag met een brommobiel wel ingereden worden.
F1:	Hier mag met een brommobiel niet worden ingehaald.
F2:	Hier mag met een brommobiel wel worden ingehaald.

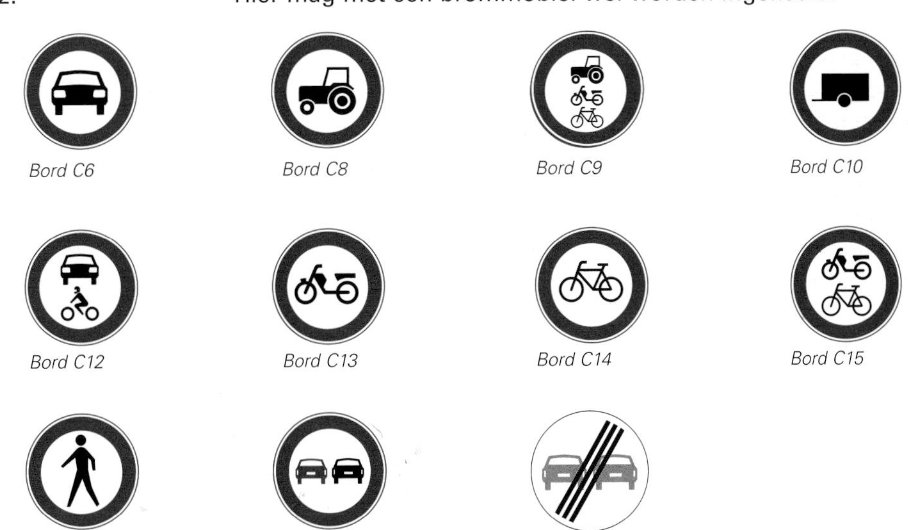
Bord C6 Bord C8 Bord C9 Bord C10
Bord C12 Bord C13 Bord C14 Bord C15
Bord C16 Bord F1 Bord F2

Snelheidsregeling bromfietsen

Binnen de bebouwde kom op het fiets-/bromfietspad mogen bromfietsers niet sneller rijden dan 30 km per uur. **Buiten** de bebouwde kom op het fiets-/bromfietspad mogen bromfietsers niet sneller rijden dan 40 km per uur. Bromfietsers mogen op de rijbaan zowel binnen- als buiten de bebouwde kom 45 km per uur.
Snorfietsers mogen zowel binnen- als buiten de bebouwde kom niet sneller rijden dan 25 km per uur.

Bromfietsers mogen niet op autowegen en autosnelwegen rijden. Op deze wegen mogen alleen motorvoertuigen komen die ten minste 50 km per uur, respectievelijk 60 km per uur kunnen en mogen rijden.

Bromfietsers rijden veel langzamer dan het motorverkeer (zoals auto's) maar hebben veel meer snelheid dan bijvoorbeeld fietsers en voetgangers. Dit geeft problemen voor de bromfietser zelf. Als zijn plaats tussen de fietsers is moet hij zich regelmatig inhouden qua snelheid en rekening houden met de meer slingerende beweging van de fietser. Rijdt hij tussen de auto's in dan zal hij zich minder op zijn gemak voelen vanwege de sterkere en snellere voertuigen, waardoor hij vaak de neiging zal hebben om sneller te willen rijden of om even van het fietspad gebruik te maken, wat beide niet in overeenstemming is met de regels. Bromfietsers die voor het eerst op een bromfiets rijden moeten vooral wennen aan de hogere snelheid van de bromfiets tegenover de fiets en vergeten vaak dat bij een hogere snelheid ook een langere remweg hoort.

Naderingssnelheid

Als je op de bromfiets een kruispunt nadert moet je altijd je snelheid aanpassen. Dat wil zeggen dat je iets langzamer gaat rijden als je een kruispunt nadert. Belangrijk is dat je altijd op tijd stil kunt staan. Uit je naderingssnelheid moet voor andere weggebruikers op te maken zijn wat je van plan bent te gaan doen (stoppen of doorrijden). Bovendien moet uit je snelheid blijken of je het andere verkeer hebt opgemerkt. Ook je kijkgedrag is daarbij heel belangrijk, als je het naderende verkeer namelijk goed aankijkt weten zij dat ze zijn opgemerkt. Als je een voetgangersoversteekplaats nadert, moet je ook je snelheid aanpassen. Voetgangers die oversteken of op het punt staan over te steken, moet je altijd voor laten gaan. Door het hebben van oogcontact met de personen op de voetgangersoversteekplaats kun je laten merken dat je de ander(en) gezien hebt. Voor bestuurders van voertuigen behorende tot militaire colonnes of uitvaartstoeten geldt de regel met betrekking tot de oversteekplaats niet.

Wegen binnen de bebouwde kom

Bord C9

Op wegen binnen de bebouwde kom (te herkennen aan het plaatsnaambord) zijn verkeerssituaties over het algemeen ingewikkeld. Dit komt, omdat er zoveel verschillende soorten weggebruikers zijn. Er zijn bijvoorbeeld schoolgaande kinderen, winkelende voetgangers, uitgaand verkeer en bevoorradingsverkeer dat aan de kant van de rijbaan opgesteld staat. Bovendien beweegt iedereen zich hier met verschillende snelheden en met verschillende soorten voertuigen. De bewoners binnen de bebouwde kom kunnen te maken krijgen met geluidsoverlast. Het is voor de bewoners heel vervelend als bromfietsers (vooral 's avonds en 's nachts) met hoge snelheid en hoge toerentallen door een woonwijk razen. Kleine kinderen worden er wakker van en het is voor iedereen hinderlijk.

Bord H2

Wegen buiten de bebouwde kom

Buiten de bebouwde kom rijden bromfietsers vaak op de fiets-/bromfietspaden. Er kunnen drie soorten 80 km per uur wegen worden onderscheiden:

- Provinciale wegen (stroomwegen) met aan één kant of beide kanten een parallelweg, bedoeld voor voetgangers, fietsers, snorfietsers, bromfietsers, bestuurders van gehandicaptenvoertuigen, landbouwverkeer en bestemmingsverkeer. Bromfietsers rijden hier dus op de parallelweg. Deze wegen lopen vaak door en vlak langs dorpen.
- Provinciale wegen (gebiedsontsluitingswegen) met aan de kant of beide kanten een fiets-/bromfietspad, bedoeld voor voetgangers, fietsers, snorfietsers, bromfietsers en bestuurders van gehandicaptenvoertuigen.
- Erftoegangswegen, wegen zonder fiets-/bromfietspad of parallelweg en bedoeld voor alle soorten verkeer. Op deze wegen kan de bromfietser alle soorten verkeer tegen komen.

Veel verschillende soorten verkeer met verschillende rijsnelheden maken gebruik van dit soort wegen. Je moet dus altijd rekening houden met bijvoorbeeld landbouwverkeer, karren, geleide dieren of loslopend vee. Ook kunnen er op het wegdek in de buurt van akkers of weilanden moddersporen voorkomen, die achter zijn gelaten door tractoren.
Je moet dus goed vooruit kijken om de situatie tijdig te kunnen inschatten en tijdig maatregelen te kunnen nemen, bijvoorbeeld; snelheid minderen.

Bord G5

Erven

Binnen een erf gelden speciale regels. Bestuurders mogen binnen een erf niet sneller rijden dan 15 km per uur. Veel bestuurders, waaronder bestuurders van bromfietsers, houden zich, soms onbewust, niet aan die snelheid. Om je daarvoor te waarschuwen kunnen er ter extra attentie aparte snelheidsborden geplaatst worden.
Voetgangers mogen hier gebruik maken van de hele breedte van de weg. Het verkeer moet daar een onderling samenspel zijn. In erven moet je altijd extra voorzichtig rijden en letten op kleine kinderen die op straat spelen.

Zonebord A1 (30)

30 km per uur zones

In 30 km per uur zones geldt een maximumsnelheid van 30 km per uur. Die maximumsnelheid wordt bij de ingangen van het gebied aangegeven met een verkeersbord. De 30 km per uur zones zijn meestal te vinden in woonwijken. In veel van deze zones tref je behalve woon- en winkelbebouwing soms ook buurthuizen, bejaardencentra en sportcentra aan.

Je moet dus rekening houden met verschillende soorten voetgangers die of moeilijk ter been zijn of veel boodschappen moeten dragen waardoor ze niet zo snel kunnen oversteken. Let ook op bijvoorbeeld groepen jongeren die druk met elkaar in de weer zijn en dus weinig aandacht voor het verkeer hebben. Daarnaast moet je rekening houden met spelende kinderen die onverwachts op de rijbaan kunnen komen. De belangen van de bewoners en de bezoekers van de centra gaan boven die van het doorgaande verkeer. Snorfietsers mogen ook hier maximaal 25 km per uur rijden.

Bruggen, tunnels en viaducten

Een brug of een viaduct is een ongelijkvloers kruispunt, dat er voor zorgt dat je geen last hebt van kruisend verkeer. Om het mogelijk te maken dat ander verkeer onder de weg door kan moet de brug vrij hoog zijn. Op de brug staat dan al gauw vrij veel wind. Daar kun je last van hebben, vooral wanneer auto's en vrachtauto's je passeren en je vanuit de luwte opeens de volle laag krijgt. Bij vorst zijn bruggen eerder glad dan gewone wegen. Omdat de wind ook onder de brug komt, koelt het wegdek sneller af en bevriest het eerder dan het wegdek van gewone wegen. Een tunnel wordt vaak van tevoren aangegeven met een bord. De meeste bestuurders gaan wat langzamer rijden als ze de tunnel binnen komen. Houd hier dus rekening mee als je achter iemand rijdt. Verder moet je de verlichting van je bromfiets aandoen, voordat je de tunnel inrijdt.

Overwegen

Als een weg kruist met een railweg is er sprake van een overweg. Zolang er niet bij alle overwegen een viaduct, brug of een tunnel is, zullen er gevaarlijke situaties op overwegen blijven bestaan. Het extra gevaarlijke zit 'm erin dat een trein nooit op tijd kan stoppen als er wat op de rails staat. Een snel rijdende trein heeft wel meer dan een kilometer nodig om tot stilstand te komen.
Om de gevaren te verminderen zijn vrijwel alle gelijkvloerse spoorwegovergangen in Nederland op één of andere manier beveiligd met:

- alleen lichten en alarmbellen, zgn. A.K.I. Automatische Knipperlicht Installatie;
- halve overwegbomen, lichten en alarmbellen, zgn. A.H.O.B. Automatische Halve Overweg Bomen;
- hele overwegbomen, lichten en alarmbellen, zgn. bewaakte overweg.

De spoorwegovergangen met alleen overweglichten en alarmbellen zijn het gevaarlijkst, omdat je daar nog wel kunt oversteken als er een trein aankomt. Bedenk, dat als je een trein in de verte ziet aankomen, dat die er dan heel snel kan zijn en dat de

machinist niets meer kan doen. Bedenk ook dat er vlak na elkaar -van dezelfde of de andere kant- treinen kunnen komen. Om je op dat gevaar te wijzen staat er dan ook altijd een bord met de tekst " Wacht tot het rode licht gedoofd is. Er kan nog een trein aankomen". In het algemeen moet je bij overwegen zo lang wachten, dat je beter de motor uit kunt zetten. Dat bespaart brandstof en is beter voor het milieu.
Het spreekt voor zich dat je bij onbeveiligde overwegen (zonder lichten, alarmbellen en slagbomen) ook extra moet oppassen. Als je wilt oversteken, moet je dat voorzichtig doen en pas oversteken als je zeker weet dat er geen trein nadert.

Bebakening
Op wegen buiten de bebouwde kom en soms ook binnen de bebouwde kom, wordt door bakens en waarschuwingsborden aangegeven, dat je een overweg of tramkruising nadert. De bakens zijn links en rechts van de rijbaan geplaatst. Aan de schuine streep of strepen op het baken, kun je zien hoeveel meter je nog verwijderd bent van de overweg en aan welke zijde van de rijbaan het baken is geplaatst. Het eerste baken met drie schuine rode strepen is op 240 m afstand van de overweg geplaatst. Het tweede baken met twee schuine rode strepen is op 160 m afstand van de overweg geplaatst. Het derde en laatste baken met één schuine rode streep is op 80 m afstand van de overweg geplaatst. Het onderste gedeelte van de schuine streep is het dichtst bij het midden van de rijbaan.

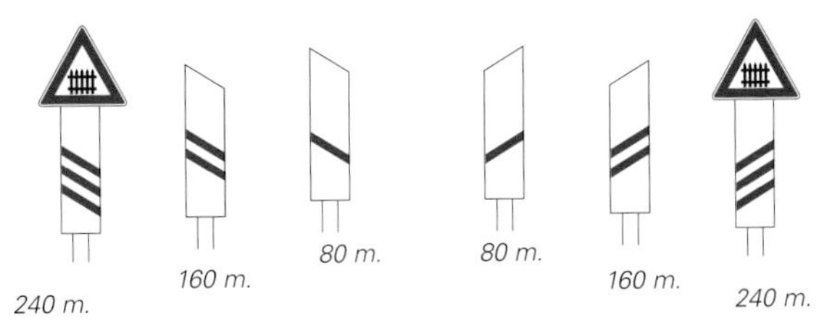

Op autowegen is het eerste baken op 300 m afstand van een overweg geplaatst. Als het niet mogelijk is om deze standaard afstanden aan te houden, worden de afwijkende afstanden op onderborden bij de bakens vermeld.

Het op de twee eerste bakens geplaatste waarschuwingsbord geeft aan of je een overweg met overwegbomen (bord J10) of een overweg zonder overwegbomen (bord J11) nadert. Bij nadering van een tramkruising (bord J14) of een beweegbare brug (bord J15) kunnen deze afstandbakens ook zijn geplaatst.

Bord J10

Bord J11

Bord J14

Bord J15

Risicovolle gebieden

Onder risicovolle gebieden kunnen onder meer worden verstaan: de nabije omgeving van scholen, speelplaatsen, ziekenhuizen, recreatiegebieden, winkelcentra, bedrijfsterreinen, sportterreinen, (vee)markten, uitgaanscentra, bouwterreinen en 'werk in uitvoering'.

Deze gebieden worden risicovol genoemd, omdat je daar kunt verwachten dat andere weggebruikers hun aandacht niet zo bij het verkeer hebben. Houd rekening met plotseling openslaande portieren, plotseling overstekende kinderen, uitrijdende zandauto's en dergelijke.

Vaak zijn er voldoende signalen uit de omgeving op te pikken die op een risicovolle situatie wijzen. Soms wordt door middel van waarschuwingsborden (schoolkinderen, recreanten, bouwverkeer, werk in uitvoering e.d.) gewezen op de bijzondere risico's. Pas in dergelijke gebieden altijd je snelheid aan.

Plaats op de weg

Links-rechtspositie

Je plaats op de weg is zoveel mogelijk rechts op de rijbaan. Helemaal aan de uiterste rechterzijde rijden is dus niet aan te raden. Hiermee nodig je uit dat auto's jou inhalen op plaatsen waar dat soms niet verstandig is. Ook als je wilt voorsorteren om linksaf te slaan hoef je niet helemaal rechts te blijven rijden, vandaar de uitdrukking 'zoveel mogelijk rechts'. Als het voor jou op de rijbaan niet veilig is dan word je verplicht om gebruik te maken van een fiets-/bromfietspad.

- Op wegen die bestaan uit twee gelijkwaardige, gescheiden rijbanen, moeten bromfietsers de rechtsgelegen rijbaan volgen.
- Op wegen die bestaan uit twee niet gelijkwaardige, gescheiden rijbanen, mogen bromfietsers beide rijbanen in beide richtingen volgen (tenzij uit borden anders blijkt).
- Als er aan weerszijden van een gracht of kanaal wegen liggen, mogen bromfietsers in beide richtingen rijden.

Personen die te voet een bromfiets aan de hand meevoeren, moeten de regels voor voetgangers volgen. Voetgangers gebruiken het trottoir of het voetpad. Als het voetpad of trottoir ontbreekt, gebruik je de berm of de uiterste zijde van de rijbaan. Je moet zelf bepalen welke zijde (links of rechts) het veiligste is. Het spreekt voor zich dat je door het meevoeren van je bromfiets andere voetgangers niet mag hinderen.

Fietspaden

Waar mogen bromfietsers wel rijden? In dit geval moeten we een onderscheid maken tussen snorfietsers en bromfietsers.

Er zijn drie typen fietspaden:
- fiets-/bromfietspad;
- verplicht fietspad;
- onverplicht fietspad.

Bord G12a

Fiets-/bromfietspad
Bromfietsers moeten in dit geval, net als snorfietsers en fietsers gebruik maken van het fiets-/bromfietspad. Bromfietsers mogen niet naast elkaar rijden, snorfietsers mogen ook niet naast elkaar rijden, fietsers mogen wel naast elkaar rijden. Als bromfietser moet je rekening houden met het langzamere verkeer op het fiets-/bromfietspad.

Wanneer bromfietsers op de rijbaan moeten gaan rijden vanaf het fiets-/bromfietspad, worden zij daar op attent gemaakt door het witte bordje met de rode bromfiets en een rode pijl richting de rijbaan, met daarbij het bord G12b geplaatst (einde fiets-/bromfietspad). Zodra de bromfiets van het fiets-/bromfietspad gebruik moet gaan maken wordt dat duidelijk gemaakt door zo'n zelfde bord maar nu met de rode pijl naar het fiets-/bromfietspad, en uiteraard het bord G12a (fiets-/bromfietspad). Om het fiets-/bromfietspad te verlaten is er in veel gevallen een speciale strook (verbindingspad) aangelegd zodat je de gelegenheid hebt om je veilig tussen de motorvoertuigen te voegen. Denk er aan: motorvoertuigen rijden in veel gevallen veel sneller dan bromfietsen dus kun je maar beter iets langer wachten met invoegen. Ook moet je goed kijken in de dode hoek (naast je) en niet vergeten richting aan te geven. Ga je van de rijbaan naar het fiets-/bromfietspad dan doe je dat op dezelfde manier als bij het naar de rijbaan gaan.

Aanduiding voor bromfietsers

Plaats op de weg algemeen
Als bromfietser rijd je in principe binnen de bebouwde kom op de rijbaan en word je alleen als het door borden wordt aangegeven naar het fiets-/bromfietspad verwezen. Op de rijbaan rijd je mee tussen het andere verkeer zonder al te veel rechts te rijden, dit om te voorkomen dat de andere bestuurders je gaan inhalen of naast je gaan rijden. Als bromfietser val je veel beter op tussen het autoverkeer, voor de automobilist ben je nu goed zichtbaar in de binnenspiegel.

Verplicht fietspad
Bromfietsers mogen geen gebruik maken van het verplichte fietspad, zij moeten gebruik maken van de rijbaan. Snorfietsers volgen dezelfde regels als fietsers, tenzij het anders bepaald of aangegeven is. Snorfietsers dienen, tenzij anders staat aangegeven, het verplichte fietspad te gebruiken. Het is dan verboden de ernaast gelegen rijbaan te gebruiken. Er zijn fietspaden met verkeer in één richting en tweerichtingsfietspaden (heen en terug). Op fietspaden in twee richtingen moet je extra opletten bij het inhalen van fietsers. Op smalle fietspaden moet je oppassen voor zachte bermen of overhangende bermbegroeiing. Ook kunnen er grint, losse steentjes en dergelijke aan de

rand van het fietspad liggen. Het verplichte fietspad is over het algemeen alleen binnen de bebouwde kom te vinden, buiten de bebouwde kom gaat dit meestal over in een fiets-/bromfietspad.

Bord G11 *Bord G13*

Onverplicht fietspad

Bromfietsers mogen helemaal géén gebruik maken van het onverplichte fietspad. Snorfietsen met een elektrische motor zijn wel op dit fietspad toegestaan. Snorfietsen voorzien van een verbrandingsmotor zijn alleen toegestaan met een uitgezette motor. Onverplichte fietspaden zijn meestal in rustgebieden aangelegd, zoals parken of natuur-gebieden.

Van groot belang is ook dat de bestuurders van bestelwagens en vrachtauto's bij het naar rechts afslaan niet bang hoeven te zijn voor een snelle bromfiets naast de auto die ze vaak niet zien aankomen. Indien je met de bromfiets op de rijbaan moet rijden omdat een fiets-/bromfietspad ontbreekt, dan ben je verplicht om gebruik te maken van de voorsorteerstroken. Op 70 km per uur wegen binnen de bebouwde kom, mogen bromfietsers niet op de rijbaan rijden, zij moeten dan gebruik maken van het fiets-/bromfietspad en indien dit niet aanwezig is moeten zij net als de fietsers een andere route kiezen. Buiten de bebouwde kom rijden bromfietsers op het fiets-/brom-fietspad en als dit niet aanwezig is dan zoveel mogelijk rechts op de rijbaan.

De fietsstrook

Een fietsstrook is een door doorgetrokken of onderbroken strepen gemarkeerd gedeelte van de rijbaan, waarop afbeeldingen staan van een fiets. Wanneer op de rijbaan een fietsstrook is aangebracht, mogen snorfietsers, fietsers en gehandicaptenvoertuigen dit gedeelte volgen. Bromfietsers moeten op de rijbaan blijven rijden. De fietsstrook kan op een paar manieren afgescheiden zijn:

- Een doorgetrokken streep: alleen fietsers, snorfietsers en bestuurders van een gehandicaptenvoertuig mogen op dit weggedeelte rijden.
  Bij een fietsstrook met een doorgetrokken streep mag het 'fietsverkeer' de strook verlaten om in te halen. Veel automobilisten houden daar te weinig rekening mee.
- Een onderbroken streep: andere bestuurders mogen alleen de strook berijden als ze fietsers, snorfietsers en bestuurders van gehandicaptenvoertuigen niet hinderen.

- Ten slotte komt het ook voor, dat op de rijbaan een gedeelte is afgescheiden door een onderbroken streep, waarin geen fiets staat afgebeeld. In zo'n geval is er geen sprake van een fietsstrook , maar van een 'suggestiestrook'. Er wordt dan verondersteld dat fietsers, snorfietsers en bestuurders van een gehandicaptenvoertuig dat gedeelte volgen.

Volgafstand

Omdat de snelheid van een bromfietser veel hoger ligt dan van een fietser, is het belangrijk dat je altijd voldoende afstand houdt ten opzichte van een voertuig dat voor je rijdt. Je moet immers voldoende afstand houden om tijdig tot stilstand te komen.
Om de volgafstand te berekenen zijn er een paar eenvoudige vuistregels.
De volgafstand is tenminste de helft van de snelheid + 10%. Dus bijvoorbeeld bij 40 km per uur is de volgafstand 20 (de helft van de snelheid) + 2 (10%) is 22 m. Ook een goede manier om de volgafstand te berekenen is de 2-secondenregel. Deze regel gaat bij iedere snelheid op. Langs een weg passeer je regelmatig verkeersborden, lantaarnpalen en bomen. Als je voorligger zo'n vast punt passeert begin je te tellen: 21, 22. Als je dat vaste punt binnen deze tijd nog niet bereikt hebt, is de tussenafstand goed. Houd dus tenminste 2 seconden tussenafstand.
Als je deze minimumafstand aanhoudt, kan in geval van nood de bromfiets tijdig tot stilstand worden gebracht. Het is belangrijk dat je ver voor je kijkt, over auto's heen of desnoods door de ruiten van je voorganger, om zoveel mogelijk informatie op te pikken. Als er bijvoorbeeld verderop in het verkeer geremd wordt, kun je er op rekenen dat je zelf even later ook moet afremmen. Je moet je bromfiets tot stilstand kunnen brengen binnen de afstand waarover je de weg kunt overzien en waarover deze vrij is.
Het is veilig in een aantal situaties de volgafstand ten opzichte van het andere verkeer te vergroten, namelijk bij:
- Beperkt zicht, zodat je niet onverwachts een ander voertuig te dicht nadert.
- Slechte toestand van het wegdek, omdat de remweg dan langer wordt.
- Zwaardere belading van de bromfiets, omdat de remweg dan langer wordt.

Verkeerslichten

Driekleurige verkeerslichten

De meest bekende verkeerslichten zijn wel de driekleurige verkeerslichten.
De verschillende kleuren zijn van boven naar beneden altijd in dezelfde volgorde geplaatst, zodat mensen die moeite hebben met het onderscheiden van kleuren, toch weten wanneer ze moeten stoppen, of doorgaan.

De betekenis is als volgt:
- Rood licht betekent: stoppen.
- Geel licht betekent: stoppen, kun je niet meer tijdig tot stilstand komen, dan mag je doorgaan en het kruispunt zo snel mogelijk vrij maken.
- Groen licht betekent: doorgaan.

- In het verkeerslicht kan ook een pijl oplichten in de voorgaande kleuren, dan gelden de lichten alleen voor het verkeer dat in de richting van de pijl gaat.

Bestuurders van een motorvoertuig van een militaire colonne die bij groen licht het verkeerslicht is begonnen te passeren, mogen blijven doorgaan, ook nadat geel of rood licht zichtbaar is geworden.
Verkeerslichten gelden niet voor bestuurders van een voorrangsvoertuig.

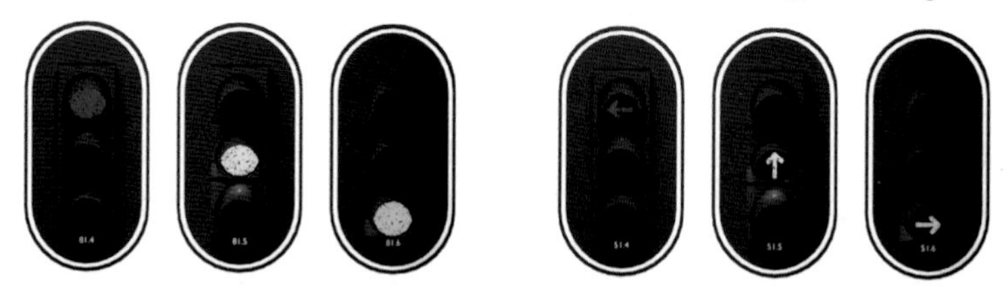

hfst 3

Driekleurige verkeerslichten met afbeelding van fiets
Wanneer op elke van de drie kleuren van verkeerslichten een afbeelding van een fiets is aangebracht, dan geldt dit verkeerslicht voor fietsers, bromfietsers en bestuurders van een gehandicaptenvoertuig op het fiets-/bromfietspad. Bromfietsers die op de rijbaan rijden volgen hetzelfde verkeerslicht als de motorvoertuigen. Het fietsverkeerslicht geldt dus alleen voor bromfietsers die gebruik maken van het fiets-/bromfietspad .
Onder sommige verkeerslichten is een blauw bordje geplaatst met de tekst 'rechtsaf voor fietsers vrij'. In dat geval mogen fietsers, snorfietsers en bestuurders van gehandicaptenvoertuigen rechtsaf doorrijden ondanks dat het licht op geel of rood staat. Ook kan dit bordje zijn vervangen door een apart verkeerslicht (zie foto hiernaast). Zij moeten ondanks dit bord of verkeerslicht het overige verkeer voor laten gaan, die rijden immers door groen. Je moet er ook rekening mee houden, dat bestuurders van voertuigen, die door groen rijden, jou niet verwachten.

Als er sprake is van een fiets-/bromfietspad kun je dezelfde bordjes of verkeerslichten tegenkomen maar nu met de tekst 'rechtsaf voor (brom) fietsers vrij'. Op veel verkeerslichten zijn drukknoppen geplaatst, deze moet je indrukken om het verkeerslicht (na een tijdje) op groen te zetten, meestal is daar ook een geel bordje bij geplaatst.

Tweekleurige verkeerslichten
Er bestaan ook tweekleurige verkeerslichten. Deze lichten worden vaak geplaatst op plaatsen waar maar af en toe het verkeer geregeld moet worden bijvoorbeeld bij oversteekplaatsen en bruggen. Zo wordt voorkomen dat er filevorming ontstaat waardoor ook kruispunten of overwegen geblokkeerd worden.

Ook kunnen de lichten staan bij uitritten van politie, brandweer, ambulancedienst, G.G.D. en ziekenhuisinritten voor spoedgevallen.

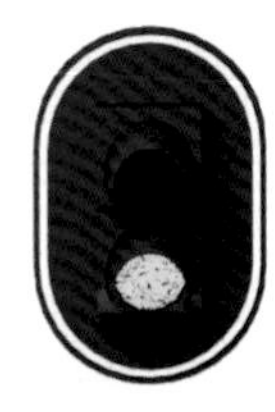

De betekenis van de lichten:

- rood licht, stoppen;
- geel licht, stoppen, als je te dicht bent genaderd om veilig tot stilstand te komen mag je doorrijden en de doorgang vrijmaken.

Overweglichten

Wit knipperlicht betekent: er nadert geen trein, dat wil niet zeggen dat je klakkeloos door kunt rijden.
Het is beter dat je voor het oversteken nog even goed kijkt, een verkeerslicht kan ook een storing hebben.
Rood licht of rood knipperlicht betekent: stop, er is een trein in aantocht, je moet wachten tot het licht is gedoofd er kan immers nog een trein aankomen.

Je moet zo'n overweg dus nooit te snel naderen, maar altijd met aangepaste snelheid. Als je te snel rijdt, bestaat het gevaar dat je niet meer op tijd kunt stoppen en tussen de slagbomen terecht kunt komen, nadat de overwegbomen omhoog zijn en de rode lampen uit zijn mag je een overweg pas opgaan als je direct kunt doorgaan.

Bruglichten

Rood licht of rood knipperlicht betekent: stoppen de brug gaat of is open. Bij nadering van een onoverzichtelijke bocht, voor een overweg of een brug, is soms ook een rood licht geplaatst. Bij dit rode licht moet je dan ook stoppen.
Ook kan er als vooraanduiding een geel knipperlicht zijn geplaatst om je te waarschuwen voor een gevaarlijke situatie zoals stilstaande auto's na de bocht of een oversteekplaats. Het is dan verstandig je snelheid tijdig aan te passen.

Tram- en buslichten

Betekent: rechtdoor.

Betekent: rechtsaf.

Betekent: linksaf.

Geel.

Rood.

Dit zijn verkeerslichten voorzien van negen kleine lampen, en zijn alleen bedoeld voor bestuurders van trams en bestuurders van lijndiensten. Je kunt wel aan de lichten zien wanneer de bus of tram moet stoppen, waardoor jij kunt inschatten wanneer je weer mag rijden.

Voetgangerslichten

Rood licht met de afbeelding van een stilstaande voetganger betekent: stoppen voor voetgangers. Groen licht met de afbeelding van een lopende voetganger betekent: voetgangers mogen oversteken.
In plaats van het rode licht kan er ook een geel licht gaan knipperen met de afbeelding van een waarschuwingdriehoek. Hier mogen voetgangers geheel op eigen risico oversteken zonder het overige verkeer te hinderen. Zij kunnen ook wachten op het groene licht om er zeker van te zijn dat ze veilig kunnen oversteken, omdat dan het kruisende verkeer rood licht heeft.

Van richting veranderen

Afslaan naar rechts en rechts voorsorteren. Als je rechts afslaat, mag je zelf beslissen of je rechts voorsorteert. Je bent natuurlijk wel verplicht zoveel mogelijk rechts te rijden. Je zult zelf moeten beoordelen of het veilig is voor te sorteren of niet. Als je van richting wilt veranderen, dan moet je drie handelingen in volgorde uitvoeren, namelijk: kijken, richting aangeven en eventueel voorsorteren.

Kijken

Voordat je een stuurbeweging maakt naar rechts, moet je eerst over je rechter schouder kijken, zodat je zeker weet dat er geen gevaar ontstaat bij het afslaan. Als je eenmaal aan het insturen bent, is het moeilijk om nog te remmen, zonder onderuit te gaan.

Richting aangeven

Als je van richting wilt veranderen, is het verplicht richting aan te geven. Richting aangeven op een bromfiets doe je met je arm of met een richtingaanwijzer. Extra oplettendheid is noodzakelijk; van richting veranderen is een handeling die altijd risico's met zich mee brengt. Ander verkeer dat rechtdoor wil, gaat er vanuit dat jij ook rechtdoor wilt (als je geen richting aangeeft).
Om de gevaren te verminderen moet je tijdig richting aangeven, zodat het andere verkeer weet wat je van plan bent. Als een bromfietser afslaat en hij moet zijn hand uitsteken doen zich meestal de volgende problemen voor:

- De meeste bromfietsen remmen op de motor, zodra de gashendel wordt losgelaten.
- De meeste bromfietsen worden wat instabieler, zodra geremd wordt met slechts één hand aan het stuur.

De oplossing hiervoor is om tijdig, voor het ingaan van de bocht, aan te geven dat je rechts wilt afslaan, zodat je bij het insturen van de bocht twee handen aan het stuur hebt. Een richtingaanwijzer heeft het voordeel dat je twee handen aan het stuur kunt houden. Een richtingaanwijzer is daarom geen overbodige luxe.

Voorsorteren en afslaan

Bij rechts afslaan moet je de bocht kort houden zodat je weer rechts uitkomt, om te voorkomen dat je andere weggebruikers onnodig hindert. Een bromfietser mag bij het afslaan of voorsorteren geen gebruik maken van een fietsstrook met doorgetrokken streep. Ligt er langs de rijbaan een fietsstrook met onderbroken streep of een suggestiestrook, dan mag je deze strook gebruiken bij het voorsorteren en bij het passeren van bijv. links afslaande voertuigen onder voorwaarde dat je bestuurders op deze strook niet hindert. Als de rijbaan is ingedeeld in stroken met daarin voor diverse richtingen een pijl afgebeeld, dan moet je in dit geval in de strook met de pijl naar rechts gaan rijden/staan. Dit moet alleen als je verplicht op de rijbaan moet rijden! Het is niet altijd zo dat de strook voor rechts afslaande bestuurders altijd rechts ligt, in enkele situaties kan hij links of in het midden liggen. Het is dus verstandig om de borden en de tekens op het wegdek goed te bekijken, zodat je tijdig in de juiste strook kunt gaan rijden, iets wat in drukke situaties van groot belang is.

hfst.3

Links afslaan en voorsorteren naar links

Bromfietsers die links afslaan mogen op rijbanen met verkeer in twee richtingen links tegen de wegas of op éénrichtingswegen geheel tegen de linkerzijde van de rijbaan voorsorteren. Ook kan het voorkomen dat je in een éénrichtingsweg met uitzondering voor fietsers en bromfietsers rijdt. Dan is het verplicht om bij het links afslaan rekening te houden met tegemoetkomende fietsers, bromfietsers en bestuurders van gehandicaptenvoertuigen. Daarom moet je dan tegen de wegas voorsorteren. De verkeerssituatie bepaalt dus of je wel of niet voorsorteert. Zodra je van de rijbaan gebruik maakt binnen de bebouwde kom, ben je verplicht om, als er voorsorteervakken op het wegdek zijn aangebracht, in het juiste vak te gaan rijden.

Bromfietsers mogen de OFOS niet gebruiken

Op het wegdek is ook wel voor links afslaande fietsers een zogenoemde OFOS strook aangebracht (Opgeblazen Fiets Opstel Strook), dat is een breed stuk fietsstrook met omlijning en de afbeelding van een fiets, soms is dit gedeelte rood gemaakt. Deze OFOS is voor het voorsorteervak voor rechtdoor of linksaf geplaatst en heeft als doel de fietsers en snorfietsers meer ruimte te geven. Hierdoor hoeven ze zich niet tussen de auto's op te stellen. Dat kan voorkomen dat er gevaar ontstaat bij het wegrijden zodra het verkeerslicht op groen springt. De bromfietser die linksaf gaat moet zijn bocht zo ruim nemen dat hij na de bocht weer tijdig ongeveer in het midden van de rijstrook uitkomt.

Bij het afslaan naar links moet je drie handelingen uitvoeren:

- **Kijken**
  Voordat je een draai naar links maakt, moet je eerst voor je, en daarna links opzij kijken. Je moet namelijk zeker weten dat je niet wordt ingehaald, op het moment dat je naar links wilt gaan.
- **Richting aangeven**
  Voor het ingaan van de bocht moet je richting aangeven (met je arm of met de richtingaanwijzer). Als je links afslaat zonder een teken te geven kan het achteropkomend verkeer en tegemoetkomend verkeer niet op tijd reageren.
  Het gevaar bestaat dan dat andere bestuurders tegen je bromfiets aan rijden.
- **Voorsorteren en afslaan**
  Als er voorsorteervakken op het wegdek zijn aangebracht, moet je, wanneer je gebruik maakt van de rijbaan, gebruik maken van die voorsorteervakken. Het is dan verstandig om ongeveer in het midden van het vak te gaan staan zodat auto's niet naast je kunnen komen.

hfst 3

Buiten de bebouwde kom is het veel verstandiger om zoveel mogelijk rechts te rijden, omdat het overige verkeer een veel hogere snelheid heeft dan jouw bromfiets en dus ook een langere remweg. De smalle bromfiets is van grote afstand moeilijk te onderscheiden, dus kun je maar beter het risico vermijden dat je te laat wordt opgemerkt.
Bromfietsers die gebruik maken van een fiets-/bromfietspad doen er verstandig aan, ook bij afslaan, zoveel mogelijk de uiterste zijde van het fiets-/bromfietspad te gebruiken, zodat de overige gebruikers van het fiets-/bromfietspad geen gevaar lopen en om er voor te zorgen dat er een betere doorstroming is.

Inhalen en ingehaald worden

Inhalen

Je mag niet zomaar te pas en te onpas inhalen. Inhalen heeft ook niet altijd zoveel nut. Let maar eens op wat er vaak om je heen gebeurt, bijvoorbeeld; een automobilist heeft veel haast en passeert zoveel mogelijk andere bestuurders in de veronderstelling, eerder op zijn bestemming aan te komen. Niets is minder waar, vaak zul je meemaken dat hij een aantal straten verder bij hetzelfde verkeerslicht staat te wachten als jij. Inhalen moet je dus alleen doen als het voor de doorstroming van het verkeer nut heeft. Denk bijvoorbeeld aan het inhalen van een langzaam rijdend voertuig zoals een elektrowagen van de reinigingsdienst, een draaiorgel met hulpmotor of een bakfiets.

Basisregel inhalen
Inhalen moet links.

Wanneer moet je rechts inhalen?
Je moet, als je wilt inhalen, een bestuurder rechts inhalen als hij te kennen heeft gegeven met zijn richtingaanwijzer of met zijn arm, dat hij linksaf wil gaan en daarvoor reeds heeft vóórgesorteerd.

Wanneer mag je rechts inhalen?
De trambaan ligt meestal in het midden van de weg. Als bromfietser mag je een tram ook rechts inhalen. Staat de tram stil houdt er dan wel rekening mee dat je in- en uitstappende passagiers voor moet laten gaan als er geen verkeerseiland is.

Ook vlak voor of op een rotonde mag je rechts inhalen.

Als je inhaalt, moet je met een aantal dingen rekening houden:
- de vrije ruimte achter en naast het in te halen voertuig;
- het verkeer achter de bromfiets (kijkgedrag);
- het eventuele tegemoetkomende verkeer;
- het naderen van een voetgangersoversteekplaats;
- je moet een teken geven met je arm of de richtingaanwijzer.

Vrije ruimte
Bij het inhalen is het belangrijk dat er voldoende afstand blijft bestaan tussen je bromfiets en het voertuig dat ingehaald moet worden. De passeerafstand moet minimaal 1 m bedragen. Bij een te kleine passeerafstand kunnen bestuurders schrikken, uit hun evenwicht raken of een plotselinge stuurbeweging maken. Waar je als bromfietser speciale aandacht aan moet besteden, zijn geparkeerde auto's. Je zult niet de eerste zijn die tegen een portier van een auto opbotst. Automobilisten zwaaien nogal eens hun portier open zonder te kijken of dat wel kan. Daarom is het belangrijk dat je voldoende afstand houdt, ook weer minimaal 1 m, tussen je bromfiets en geparkeerde auto's. De automobilist heeft waarschijnlijk hooguit materiële schade, terwijl jij naast materiële schade aan je bromfiets een grote kans loopt op ernstige (blijvende) verwondingen.

Achteropkomend verkeer
We hebben uitgelegd dat het belangrijk is dat je voldoende afstand houdt tussen je bromfiets en andere bestuurders. Waar je ook op moet letten is, dat je genoeg aandacht besteedt aan wat er om je heen gebeurt. Het is bijvoorbeeld belangrijk dat je ook achterom kijkt naar het andere verkeer.
Spiegels die op een bromfiets zijn gemonteerd helpen je wel bij het zicht op achterop komend verkeer maar hebben nog wel een dode hoek.

Omdat je op een bromfiets een helm draagt hoor je minder goed of er achter je ook verkeer aankomt. Op de fiets is dit veel gemakkelijker, aangezien je dan geen helm draagt en de geluiden van ander verkeer veel beter hoort.
Stel, je wilt een fietser passeren. Meteen naar links zwenken zonder even om je heen te kijken is natuurlijk helemaal fout. Belangrijk is dat je weet of er achter je ander verkeer zit. Omdat de helm je uitzicht enigszins beperkt, zul je dus je hoofd voldoende moeten draaien. Let er op dat als het koud weer is en je dus meer kleding draagt zoals een dikke jas en das, het zicht ook weer meer beperkt wordt. Het dragen van een lange das op de bromfiets is tevens gevaarlijk, omdat hij naast dat hij het zicht beperkt, ook tussen de spaken kan komen.

Tegemoetkomend verkeer
In een onoverzichtelijke bocht is het vanwege het tegemoetkomend verkeer te gevaarlijk om links in te halen. Dat geldt ook voor het inhalen nabij het hoogste punt van een helling. Je begrijpt waarschijnlijk wel waarom: het zicht is heel beperkt. Je weet namelijk niet wat je na de bocht of helling kunt verwachten. Na deze onoverzichtelijke punten kun je diverse obstakels verwachten zoals een drempel, wegversmalling, verkeerszuil, wegwerkzaamheden, ongevallen of zijstraten. Als je onverantwoord inhaalt, kunnen andere weggebruikers zodanig schrikken, dat ze plotseling remmen, gevaarlijk gaan slingeren of van de weg raken. Inhalen bij dichte mist is natuurlijk helemaal niet toegestaan!

Voetgangersoversteekplaats
Auto's en andere voertuigen mogen nooit vlak voor of op een voetgangersoversteekplaats worden ingehaald. Je aandacht moet juist gericht zijn op de mogelijke aanwezigheid van voetgangers en niet op het inhalen van bijvoorbeeld een auto.

Doorgetrokken streep
Een doorgetrokken streep die zich niet langs de rand van de rijbaanverharding bevindt mag je niet overschrijden. Deze regel geldt niet als aan de zijde vanwaar je de streep overschrijdt een onderbroken streep is aangebracht. Voorafgaand aan een doorgetrokken streep wordt veelal een waarschuwingsstreep (meer streep dan tussenruimte) aangebracht.

Gewenst gedrag
In het voorgaande hebben we uitgelegd waar je op moet letten bij het inhalen. We zetten het allemaal nog eens op een rijtje:
- goed vooruit kijken;
- goed naast en achter je kijken;
- let goed op of je andere weggebruikers niet hindert;
- links inhalen;
- tussenruimte minimaal 1 m naast het in te halen voertuig;

- nooit inhalen vlak voor een onoverzichtelijk punt;
- nooit inhalen vlak bij of op een voetgangersoversteekplaats;
- rechts inhalen als andere bestuurders linksaf slaan.

Ingehaald worden

Als je wordt ingehaald door een andere bestuurder, is het verboden om sneller te gaan rijden. De inhaalmanoeuvre duurt daardoor langer en dat kan gevaarlijk zijn.

Verlenen van voorrang en voor laten gaan

Voorrang verlenen

De algemene regel luidt dat bestuurders op kruispunten van gelijkwaardige wegen voorrang verlenen aan voor hen van rechts komende bestuurders.

Er wordt pas gesproken van voorrang verlenen als er sprake is van bestuurders die elkaar van verschillende wegen naderen (kruispunten). Er wordt dus niet over voorrang gesproken als er voetgangers in het spel zijn.

Voorrang verlenen betekent dat de bromfietser de betrokken bestuurder in staat stelt ongehinderd zijn weg te vervolgen. Dit betekent dat je de bestuurder aan wie je voorrang moet verlenen niet mag laten schrikken door vol gas aan te komen rijden en op het laatste moment te remmen. Dit betekent ook dat je voldoende ruimte moet maken voor vrachtauto's en autobussen, zodat zij zonder hinder door kunnen gaan.

In voorrangssituaties spelen dus twee zaken een belangrijke rol:

1. Je mag nooit voorrang nemen; voorrang is altijd een kwestie van krijgen of verlenen;
2. Jezelf voorspelbaar gedragen.

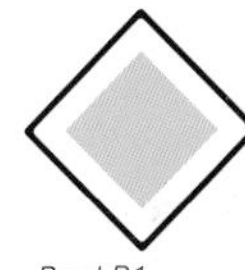

Bord B1

Een voorrangsweg wordt aangeduid door bord B1. Buiten de bebouwde kom is dit bord geplaatst **na** een kruispunt en binnen de bebouwde kom **voor** het kruispunt.

Op voorrangswegen hebben alle bestuurders voorrang op bestuurders die de voorrangsweg van links of rechts naderen. Als je op een voorrangsweg rijdt, behoor je dus voorrang te krijgen van alle bestuurders die van rechts of links naderen. Let er bij het oversteken op dat de bestuurders op de voorrangsweg vaak hard rijden en er volledig op rekenen dat jij ze voor laat gaan. Als je een voorrangsweg links of rechts wilt opdraaien, moet je weten dat je pas mag gaan rijden als je daarbij niemand op de voorrangsweg hindert. Dus zodra bestuurders op deze weg voor jou moeten afremmen ben jij fout!

Bord B3

Dit geldt niet alleen op voorrangswegen, maar ook op voorrangskruispunten. Let op! Deze borden gelden alleen voor het kruispunt waar ze bij staan. Hierna kun je misschien weer een gelijkwaardig kruispunt verwachten.

Dat je een voorrangsweg of voorrangskruispunt nadert, kun je zien aan de haaientanden op het wegdek en/of de driehoekige voorrangsborden. Soms zijn er alleen haaientanden of alleen een bord, ze hoeven niet samen geplaatst te zijn.
Als je een kruispunt nadert waar het stopbord is geplaatst moet je altijd eerst even stoppen om de bestuurders voorrang te verlenen. Ook als er geen bestuurders lijken aan te komen moet je toch altijd even stoppen en goed links en rechts kijken. Dit bord wordt vaak geplaatst op kruispunten waar zeer weinig zicht is.

Bord B6

Bord B7

Afbuigende voorrangsweg/voorrangskuispunt
Op sommige plaatsen zijn afbuigende voorrangswegen of voorrangskruispunten aangelegd. Dat is gedaan om de doorstroming van het verkeer in een bepaalde situatie te bevorderen. Deze situaties worden aangegeven door de borden B1 en B3 met een onderbord. Als je de voorrangsweg blijft volgen behoef je, juridisch gezien, geen richting aan te geven. In sommige situaties kan het echter wel handig zijn om aan andere verkeersdeelnemers aan te geven wat je route zal zijn.

Bord B6 met onderbord.

Bestuurders op een onverharde weg verlenen voorrang aan bestuurders op een verharde weg. Onverharde wegen tref je over het algemeen aan buiten de bebouwde kom (in bosrijke gebieden of polders). Het zijn, zoals de naam al aangeeft, wegen die niet op één of andere wijze verhard of bestraat zijn. Zandwegen, landweggetjes, bospaden en karrensporen zijn duidelijk onverharde wegen. Als een verharde weg een onverharde weg kruist, moeten bestuurders die van een onverharde weg naderen, de bestuurders op de verharde weg voorrang verlenen.
Bestuurders verlenen voorrang aan bestuurders van een tram. De tram neemt in het verkeer een bijzondere positie in. De tram is aan een vaste baan gebonden en is dus niet zo wendbaar. Op kruisingen en splitsingen van wegen van gelijke orde gaat de tram eerst, ongeacht of de tram van links of van rechts komt. Nadert de tram een voorrangsweg of voorrangskruispunt, dan moet hij aan alle bestuurders op de kruisende weg voorrang verlenen. De trambestuurder moet zich aan verkeersborden en verkeerslichten houden.
In erven geldt, dat ook bromfietsers aan alle bestuurders van rechts voorrang moet verlenen.

Rotondes
Rotondes zijn er om het verkeer van elkaar kruisende wegen zonder botsingen en onnodig oponthoud te laten kruisen of mengen. Eigenlijk zijn het éénrichtingswegen rondom een rotonde. Elke aansluiting op de rotonde is een T-kruispunt. Als de rotonde niet met voorrangsborden is geregeld, is het een gewoon kruispunt en moeten bestuurders op de rotonde voorrang verlenen aan bestuurders die de rotonde naderen. Die komen immers van rechts. Bestuurders die de rotonde verlaten, moeten het verkeer dat de rotonde blijft volgen voor laten

Bord D1

gaan. In veel gevallen laten afslaande automobilisten rechtdoorgaande fietsers, bromfietsers en voetgangers die de rotonde volgen op het langs gelegen voetpad, fietspad of fiets-/bromfietspad, dat deel uitmaakt van de rotonde, niet voor gaan. Vaak stopt men niet omdat je niet of te laat wordt opgemerkt. Je rijdt vergeleken met fietsers snel en je zit in de dode hoek van afslaande auto's.
Wanneer je als bromfietser gebruik moet maken van de rijbaan is het probleem er niet omdat je dan tussen de auto's rijdt. Als bromfietser mag je vlak voor en op de rotonde ook op de linkerrijstrook rijden. Dat mag alleen als je gebruik moet maken van de rijbaan. Op rotondes moet je dus extra alert zijn op bestuurders die de rotonde verlaten. Op de meeste rotondes hebben bestuurders op de rotonde voorrang op bestuurders die de rotonde naderen. De voorrang is geregeld door middel van voorrangsborden.

Voor laten gaan

Rechtdoorgaand verkeer op dezelfde weg gaat vóór afslaande bestuurders.
Bestuurders die afslaan, moeten verkeer dat hen op dezelfde weg tegemoet komt of dat zich op dezelfde weg zich naast dan wel links of rechts dicht achter hen bevindt, voor laten gaan. Dit wil zeggen dat als je bijvoorbeeld op een fiets-/bromfietspad rechtdoor gaat, niet gehinderd mag worden door auto's, vrachtauto's, fietsers en bromfietsers die van diezelfde weg afslaan. Hoewel je in die situatie niet mag worden gehinderd, gebeurt het vaak wel. Vooral wanneer auto's of vrachtauto's rechts af willen slaan, gebeurt het vaak dat die de recht-doorgaande bromfietser over het hoofd zien. Je moet hierop dus altijd bedacht zijn. Alle afslaande bestuurders moeten rechtdoorgaand verkeer op dezelfde weg voor laten gaan.

Hierop zijn uitzonderingen: een tram, een militaire colonne en een uitvaartstoet van voertuigen. Als de tram van de weg wil afbuigen, dan heeft die vrije doorgang. Als een militaire colonne of een uitvaartstoet al bezig is met het afbuigen en het eerste voertuig is gepasseerd, dan mag niemand de colonne of uitvaartstoet doorsnijden.
Bestuurders die uit een uitrit komen, moeten alle verkeer op de kruisende weg voor laten gaan. Er is nog een situatie waarin je als bromfietser alle verkeer voor moet laten gaan, namelijk als je een uitrit uitkomt of als je wegrijdt vanaf een trottoir. Dan moet je alle verkeer (ook voetgangers) voor laten gaan. Bestuurders die uit een erf komen volgen dezelfde regels als bij het uitrijden van een uitrit.

Voor laten gaan van blinden

Bromfietsers moeten blinden en overigens alle personen die zich moeilijk voortbewegen op de rijbaan, voor laten gaan. Blinden en slechtzienden zijn te herkennen aan een witte stok met één of meer rode ringen. Wanneer ze willen oversteken en dat te kennen geven door de stok naar voren te steken, moet je hen de gelegenheid geven veilig over te steken.

Voor laten gaan bij een voetgangersoversteekplaats

Bij een voetgangersoversteekplaats moet de bromfietser een voetganger en een bestuurder van een gehandicaptenvoertuig die oversteekt of wil oversteken altijd voor laten gaan.

Voorrangsvoertuigen

Weggebruikers moeten bestuurders van een voorrangsvoertuig voor laten gaan. Dit betekent dat de bromfietser de voertuigen van politie, brandweer, ambulance en andere hulpverleningsdiensten die de optische en geluiddssignalen voeren zo mogelijk ongehinderd voor moeten laten gaan. Dit kan betekenen dat je ondanks dat het verkeerslicht op groen staat toch zal moeten stoppen als het gaat om een voorrangsvoertuig die dan van links of rechts komt. Ook moet je zoveel mogelijk ruimte vrij maken door bijvoorbeeld aan de kant te gaan, om een voorrangsvoertuig zo snel mogelijk en zo veilig mogelijk te laten passeren. Het kan immers om mensenlevens gaan. Iedere seconde kan een leven redden. Wanneer deze voertuigen geen gebruik maken van de optische- en geluidssignalen, gelden voor deze voertuigen dezelfde regels als voor andere motorvoertuigen.

Wegrijden bij een bushalte

Bij een bushalte binnen de bebouwde kom moet men de wegrijdende autobus voor laten gaan. Als de chauffeur van een autobus bij een bushalte wil wegrijden, geeft hij richting aan. Als dat binnen de bebouwde kom gebeurt, moeten bestuurders die de autobus van achteren naderen, de autobus de gelegenheid geven weg te rijden. Wanneer je eenmaal naast de autobus rijdt, mag de autobus niet vertrekken van de halte. Maar houd er rekening mee dat je wel zichtbaar bent voor de chauffeur.

Tip: Rijd niet te dicht langs de autobus. Als je de buschauffeur in zijn spiegel kunt zien dan kan hij jou ook zien.

Let er trouwens op dat, wanneer de autobus stilstaat, er waarschijnlijk passagiers in- of uitstappen en dat deze ook voor of achter de autobus willen oversteken. Pas je snelheid daarom aan, zodat je tijdig tot stilstand kunt komen. In- en uitstappende passagiers van een autobus en tram moet je de gelegenheid geven dat veilig en ongehinderd te doen. Dat geldt niet als er een verkeerseiland aanwezig is.

Gebruik van verlichting en signalen

Verlichting

Een bromfiets moet een dimlicht, een achterlicht en een niet driehoekige rode reflector aan de achterzijde van de bromfiets hebben. De lampen dienen goed te zijn afgesteld. Als ze omhoog stralen, kunnen tegenliggers verblind worden. Bromfietsers mogen, met uitzondering van groot licht, niet voorzien zijn van verblindende verlichting.

Bromfietsers moeten bij dag, indien het zicht ernstig wordt belemmerd, en bij nacht verlichting aan hebben, zowel aan de voorzijde als aan de achterzijde. Als je onvoldoende of onjuiste verlichting hebt, bestaat het gevaar dat je bij slechte weersomstandigheden of bij duisternis niet op tijd wordt opgemerkt door andere weggebruikers.
Dat geldt ook bijvoorbeeld voor het rijden in tunnels. Daar is het ook een kwestie van zien en gezien worden. Ontsteek daar dus altijd je verlichting.

Wanneer geen grootlicht?
Je mag geen grootlicht voeren: overdag, bij het tegenkomen van weggebruikers en bij het op korte afstand volgen van een voertuig.

Signalen
Ter afwending van dreigend gevaar mag je een geluidssignaal of een knippersignaal geven. Een geluidssignaal geef je met de bel of claxon. Een knippersignaal geef je door het aan en uit zetten van het licht. Wanneer er geen sprake is van gevaar zal het gebruik van signalen bij het andere verkeer tot verwarring of irritatie leiden. Dit geldt ook als het signaal op het verkeerde moment of te langdurig wordt gegeven. Het is dus verboden om bij het tegenkomen van een kennis een signaal te geven of wat ook velen doen, bij het wegrijden van thuis even toeteren.

Uitvoeren van bijzondere manoeuvres

Eén van de vaardigheden bij het bromfietsrijden is het kunnen uitvoeren van allerlei bijzondere manoeuvres. Bijzondere manoeuvres voor de bromfiets zijn onder meer: wegrijden, uit een uitrit de weg op rijden, van een weg de oprit oprijden en keren. Bromfietsers die een bijzondere manoeuvre uitvoeren, moeten het overige verkeer altijd voor laten gaan. Bij het uitvoeren van een manoeuvre, moet je er rekening mee houden dat het zicht op het andere verkeer, tijdelijk kan wegvallen. Dit betekent dat je dan extra om je heen moet kijken.

Met een brommobiel is het ook mogelijk om achteruit te rijden. Dit wordt ook gezien als een bijzondere manoeuvre. Je moet dan het overige verkeer voor laten gaan.
Let op! Verkeer zijn alle weggebruikers, dus ook een voetganger moet je voor laten gaan.

Starten en wegrijden
Als je aan het verkeer wilt deelnemen en weg wilt rijden, heb je geen rechten maar hooguit plichten. Ook het wegrijden is, zoals je al gezien hebt, een bijzondere manoeuvre. Pas als je anderen niet hindert, mag je wegrijden. Je moet altijd voorkomen dat iemand uit moet wijken, snelheid moet minderen of moet stoppen.
Indien je vanaf de rechterzijde van de rijbaan wegrijdt, moet eerst worden gekeken of op een verantwoorde wijze kan worden weggereden. Dit kijken geschiedt als volgt: kijk naar voren, met behulp van je spiegels naar achteren en over je linkerschouder.
Rijd je weg vanaf de linkerzijde van de rijbaan: kijk eerst naar voren, met behulp van je spiegels naar achteren en vervolgens over de rechter schouder.

Je moet een teken geven met je arm of richtingaanwijzer om te laten zien dat je gaat wegrijden.
Nadat de motor is aangeslagen, moet je, zodra dit mogelijk is, wegrijden. De motor komt het best op temperatuur wanneer je meteen na het starten gaat rijden zonder veel toeren te maken. Een koude motor stationair laten draaien is erg belastend voor het milieu en slecht voor de motor zelf. Bovendien hebben de mensen in de buurt last van een motor die een tijd stationair blijft draaien.

Gebruik van in- en uitritten

Een in- en uitrit is meestal te herkennen aan een verlaagde trottoirband of inrit blokken. Bij het inrijden van een inrit mag je niemand hinderen en moet je al het overige verkeer voor laten gaan, dus ook voetgangers die gebruik maken van het kruisende trottoir. Bij het uitrijden van een uitrit moet je ook al het verkeer voor laten gaan, zelfs het verkeer dat je tegemoet komt en links of rechts afslaat en voetgangers die van links of rechts komen. De verkeerssituatie bij een inrit is vaak onoverzichtelijk door geparkeerde auto's, voetgangers van links en rechts, fietsers e.d. Daarom moet bij een in- en uitrit altijd met aangepaste snelheid worden gereden.

Keren op de weg

Bij het keren met de bromfiets mag je nooit andere weggebruikers hinderen of in gevaar brengen. Je kunt dan pas keren, wanneer er geen ander verkeer is en ook niet te verwachten is. Tijdens het keren verlies je tijdelijk het overzicht op de weg. Het is dus van belang dat je tijdens het keren ook goed om je heen kijkt.

Stoppen, stilstaan en plaatsen

Stoppen

Stoppen of stilhouden is een vorm van deelnemen aan het verkeer, waartoe je door een verkeerssituatie wordt gedwongen, bijvoorbeeld doordat een voetganger oversteekt, het verkeerslicht op rood staat of voorrang verleend moet worden.
Wanneer tijdens de verkeersdeelname gestopt moet worden, kun je de motor gewoon laten draaien omdat deze stops gewoonlijk niet zo lang duren.
Je mag dan tijdens het stilstaan niet steeds stootjes gas geven. Dit leidt namelijk tot overlast voor het milieu en tot irritatie van het overige verkeer. Wanneer je een langdurige stop maakt in het verkeer, bijvoorbeeld wanneer je voor een openstaande brug of voor een spoorwegovergang moet wachten, moet je de motor wel afzetten.

Stilstaan

Stil gaan staan doe je uit vrije wil om tijdelijk de verkeersdeelname te beëindigen om te laden of te lossen of om op of af te stappen. Je mag niet overal stil gaan staan met je bromfiets.

Stilstaan mag niet:

- op een kruispunt of overweg;
- op een fietsstrook of op de rijbaan naast een fietsstrook;
- op een oversteekplaats of binnen een afstand van 5 m daarvan;
- in een tunnel;
- bij een bord bushalte ter hoogte van de geblokte markering dan wel, ingeval de markering niet is aangebracht, op een afstand van 12 m van het bord. Dit geldt niet voor het onmiddellijk laten op- of afstappen van passagiers;
- op de rijbaan langs een busstrook;
- langs een gele doorgetrokken streep;
- op een busstrook.

Plaatsen

Als het gaat om stallen van bromfietsen wordt er gesproken van 'plaatsen' (i.p.v. parkeren). Bromfietsen worden geplaatst op het trottoir, op het voetpad of in de berm, of op andere aangewezen plaatsen, bijvoorbeeld een fietsenstalling.
Bij het plaatsen op het trottoir dien je extra rekening te houden met ouderen en gehandicapte voetgangers. Zij kunnen door je bromfiets worden gehinderd. Bij het plaatsen van de bromfiets zet je vanzelfsprekend de motor af. Je mag je bromfiets op een trottoir of voetpad natuurlijk niet voor een inrit of uitrit plaatsen. Bij bord E3 is het plaatsen van een bromfiets niet toegestaan. Bij bord E1 of E2 echter mag je je bromfiets wél op het trottoir, voetpad of in de berm plaatsen.

Bord E1

Bord E2

Bord E3

Overige regels

Misbruik

De wegen worden regelmatig misbruikt voor spelletjes. En omdat het om gevaarlijke spelletjes gaat, zijn ze verboden. Het is verboden om wedstrijden met voertuigen, dus ook met bromfietsen, op de openbare weg te houden. Of dat nu om de prestaties gaat van jezelf, de bromfiets of om een soort brandstof te testen, het is verboden op de openbare weg. Alle deelnemers aan zo'n wedstrijd zijn strafbaar: de bestuurders én de eigenaren van de voertuigen.
Ook het zogenaamde joyrijden is verboden. Je mag geen motorrijtuig (bromfiets) van een ander stelen (even 'lenen'), er even mee gaan rijden en dan weer ergens achterlaten.

Aanhangwagens

Met bromfietsen, inclusief brommobielen, mag je één aanhangwagen voortbewegen. De aanhangwagen mag slechts éénassig zijn. Bij een éénwielige aanhangwagen moet het wiel zodanig zijn bevestigd dat het uitsluitend draaibaar is om de eigen horizontale

as. De aanhangwagen mag niet hoger zijn dan 1 m en niet breder dan 1 m achter een tweewielige bromfiets en 2 m achter een bromfiets op meer dan twee wielen, zoals een brommobiel. Aan de achterzijde van de aanhangwagen moet een mogelijkheid zijn waar de kentekenplaat op bevestigd kan worden. Deze aanhangwagen moet dan voorzien zijn van het kenteken van de trekkende bromfiets of brommobiel.
Bord C10 geldt wel voor brommobielen (zij volgen de regels voor bestuurders van motorvoertuigen) maar niet voor bestuurders van brom- en snorfietsen.

Slepen
Het is verboden om met een tweewielige bromfiets een motorvoertuig te slepen of gesleept te worden.

Voor brommobielen geldt dat niet. Zij mogen slepen en gesleept worden. Daarbij geldt dat de lengte van de kabel maximaal 5 m mag bedragen. Ook dient de bestuurder van de gesleepte brommobiel in het bezit te zijn van rijbewijs AM. Eventuele passagiers dienen zoveel mogelijk in het voorste voertuig plaats te nemen.

Verkeerscontrole
Regelmatig worden er verkeerscontroles gehouden. Dat kunnen controles zijn die gericht zijn op een bepaald thema, bijvoorbeeld alcohol of documenten. Ook wordt er gecontroleerd op bepaalde soorten voertuigen zoals bromfietsen. Naast controle van de algemene regels wordt er bij bromfietsen dikwijls gecontroleerd op het opvoeren.

Aanwijzingen
Door de wet aangewezen ambtenaren mogen, in het belang van de veiligheid op de weg, de instandhouding en de bruikbaarheid van de weg, of de vrijheid van het verkeer, aanwijzingen geven. Weggebruikers zijn verplicht deze aanwijzingen op te volgen. Je dient de aanwijzingen strikt op te volgen. Als er in het belang van de veiligheid van het verkeer controles worden gehouden dient daar aan meegewerkt te worden. Als eerste is er de verplichting om te stoppen. Verder moet je, bijvoorbeeld bij een controle aan de bromfiets, zodanig meewerken dat deze controle op een goede wijze kan worden uitgevoerd. Verder zijn bestuurders verplicht een aantal documenten ter inzage af te geven.

Documentencontrole
Het is verplicht de volgende documenten ter inzage af te geven:
- geldig rijbewijs;
- kentekenbewijs deel 1A en 1B;

Voertuigcontrole
Controles kunnen niet overal plaatsvinden. Zo kan het voorkomen dat er een veiliger plaats gezocht moet worden. Je bent verplicht daaraan mee te werken. Soms moet de bromfiets worden overgebracht naar een plaats van nader onderzoek. Ook hieraan moet medewerking worden verleend. Het voertuig kan ook in bewaring worden gesteld.

4. Bediening van je brom- of snorfiets

Inleiding
In dit hoofdstuk besteden we aandacht aan basisvaardigheden en aan voertuigbeheersing.

Omdat je tegenwoordig een praktisch examen op de bromfiets moet afleggen bij het Centraal Bureau Rijvaardigheidsbewijzen (CBR) is het wel verstandig, dit hoofdstuk goed te bestuderen. Je zal de praktijklessen van je rijschool sneller begrijpen. Ook kunnen er tijdens het theorie-examen vragen over praktische situaties worden gesteld. Je moet weten hoe je op een bromfiets moet zitten en hoe de bediening van een bromfiets werkt. Daarbij maken we een onderscheid tussen een versnellingsbromfiets en een automaat. Vervolgens gaan we deze basisvaardigheden bespreken. Daarbij leer je hoe je de bromfiets op de juiste manier onder controle moet houden.

Basisvaardigheden

De juiste zithouding

Een goede zithouding is noodzakelijk voor een goede besturing van de bromfiets.
Om goed te sturen is een ontspannen zithouding vereist. Het stuur moet losjes worden vastgehouden. De armen zijn lichtgebogen en vormen één rechte lijn met de handen. De polsen dus niet laten doorzakken. Tijdens het rijden is het het veiligst om twee handen aan het stuur te houden. Slechts bij uitzondering mag er één hand worden losgelaten, bijvoorbeeld om richting aan te geven. Houd je knieën bij elkaar en zit rechtop met je neus in de wind. Je rug dient eerder bol dan hol te zijn. Een houding met een bolle rug is prettiger en langer vol te houden dan een holle rug. Dit kan van belang zijn voor de veiligheid, omdat een verkeerde zithouding tot een krampachtige houding leidt. En die kan weer tot een reactievertraging leiden. De voeten dienen een goede steun te hebben op de voetsteunen of pedalen in verband met het hanteren van de bedieningsonderdelen en de besturing van de bromfiets.

Dus ook stevige schoenen aan, die voor een goed contact zorgen. Ook op een glad en onregelmatig wegdek mag je je voeten niet meteen van de steunen halen.
Als je schoenen met veters draagt, zorg dan dat de veters goed worden weggestoken, zodat ze bij het afstappen niet achter de voetsteunen blijven hangen. Hierdoor kun je een lelijke val voorkomen.

Bedieningsonderdelen
Schakelbromfiets of automaat.
Het is belangrijk dat je weet waar de bedieningsonderdelen, zoals gashendel, koppelingshendel, rempedaal, choke e.d. van een bromfiets zitten. De werking van sommige bedieningsonderdelen verschillen van een schakelbromfiets tot een automaat. Bij het starten en wegrijden moeten bij een schakelbromfiets wat andere handelingen worden uitgevoerd dan bij een automaat.

Automaat
Veel automatische bromfietsen zijn uitgerust met een kickstarter. Dit is een apart pedaal waarmee de bromfietsmotor wordt aangetrapt.
Het gas geven gebeurt (ook bij een schakelbromfiets) door het draaien aan het rechter handvat.
Als het handvat wordt losgelaten, zal de gashendel naar stationair teruggaan.
Als de gashendel niet automatisch terug draait zal de kabel hoogst waarschijnlijk gesmeerd moeten worden. Of de kabel moet worden vervangen omdat hij versleten is. Een automaat heeft twee remmen: een voorrem en een achterrem.
Doorgaans bevinden de bedieningsonderdelen van beide remmen (remgrepen) zich op het stuur.

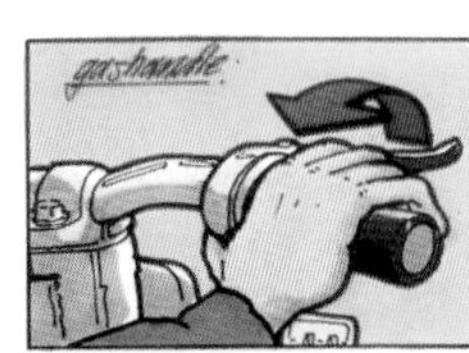

Schakelbromfiets
De meeste schakelbromfietsen hebben een elektrische starter. Hierbij hoef je alleen maar een knopje in te drukken en vervolgens start de bromfiets. Doordat de schakel-bromfiets versnellingen en een koppeling heeft, is de bediening een stuk moeilijker dan de bediening van een automaat. Bij het wegrijden bijvoorbeeld kan niet worden volstaan met het opendraaien van het gas, maar moet er ook geschakeld worden naar een hogere versnelling.
Over het algemeen heeft een schakelbromfiets vier versnellingen.
Het schakelen gebeurt met de linkervoet door het versnellingspedaal omhoog en omlaag te bewegen. Voor het inschakelen van de eerste versnelling dient het versnellingspedaal naar beneden bewogen te worden.
Alvorens te schakelen dient de motor met de koppelingshendel ontkoppelt te worden.
De koppeling bevindt zich in de vorm van een hendel aan de linkerkant van het stuur en kan met de linkerhand worden bediend.

Voor het ontkoppelen moet de hendel worden ingetrokken en kan de bromfiets in de eerste versnelling worden gezet. Door de hendel nu rustig los te laten (koppelen) komt de bromfiets in beweging. Om te voorkomen dat de motor afslaat moet je rustig wat gas bijgeven en steeds vermeerderen. Veel beginnende bromfietsers hebben de neiging om naar het voorwiel te kijken, daar heb je niets aan, het is verstandig om voor je uit te kijken naar het punt waar je naar toe wilt rijden.
Je zult merken dat het dan ook beter lukt.
Als de motor op toeren is, moet je doorschakelen naar de tweede versnelling. De handelingen zijn in principe hetzelfde als bij het wegrijden. Voor het schakelen gelijktijdig het gas minderen, de koppelingshendel inknijpen en gelijktijdig daarmee met je voet het schakelpedaal omhoog duwen tot aan een klikkend geluid. Meestal voel je het ook goed met je voet, wanneer hij in de volgende versnelling valt. Dan weer in een vloeiende beweging de koppelingshendel laten vieren en gelijktijdig opbouwend gas geven tot de motor weer genoeg toeren maakt om weer door te schakelen. Zo schakel je door tot de hoogste versnelling. Bij het terugschakelen moet je het pedaal herhaaldelijk naar beneden duwen met je voet terwijl je de koppeling inknijpt en geen gas geeft. Voordat je de bromfiets tot stilstand laat komen is het verstandig om nog al rijdende terug te schakelen omdat dit stilstaand meestal niet lukt. De schakelbromfiets heeft de bediening van één rem (de voorrem) aan het stuur. De achterrem bedien je met je rechtervoet. Dat pedaal bevindt zich voor de rechter voetsteun.Tijdens het stoppen breng je de versnelling in de vrije stand.

Choke

Bij koud weer heeft de motor van de bromfiets meer brandstof nodig om te starten, omdat het anders niet lukt om hem aan de praat te krijgen. Er moet bij een koude start dus voor een rijker brandstofmengsel worden gezorgd. Als de motor koud is, moet vlak voor of tijdens het starten de choke ingeschakeld worden. Zo gauw de motor op temperatuur is (na 5 à 10 minuten rijden) kan de choke weer uitgeschakeld worden om overmatig benzineverbruik te voorkomen. In een warme motor wordt het rijke mengsel niet geheel meer verbrandt, de motor verbruikt daardoor te veel brandstof of zal daardoor zelfs verzuipen. Dit is tevens slecht voor het milieu.
De meeste bromfietsen hebben een elektrische of automatische choke. Daarbij wordt de extra brandstoftoevoer bij het starten automatisch geregeld.

Voertuigbeheersing

In de vorige paragraaf hebben we uitgelegd hoe de bediening van de bromfiets werkt. Het is de bedoeling dat we het geleerde in praktijk gaan toepassen. Er zal blijken dat sommige oefeningen moeilijker zijn dan die op het eerste gezicht lijken en ook niet geheel zonder risico's zijn. Wanneer je de oefeningen uitvoert bij een rijschool, zal de cursusleider in het kort uitleggen waar je op moet letten bij de uitvoering van de oefeningen. Soms zal hij de oefeningen demonstreren voordat je ze zelf mag uitvoeren.

Het besturen van de bromfiets gebeurt vanuit de heupen. Het stuur is nodig om te stabiliseren en om de bedieningsorganen zoals gashendel of remhendel te bedienen. Alle nieuwe bromfietsen moeten volgens de wet zijn voorzien van een linkerspiegel en een goed werkende claxon. Een richtingaanwijzer is niet verplicht, maar mag wel en is ook zeer handig.

15 km per uur

Het rijden met een geringe snelheid van 15 km per uur lijkt heel eenvoudig. Als je dit in de praktijk gaat oefenen, zal je echter merken dat dat in het begin best moeilijk is. De bedoeling is namelijk dat de bromfiets niet gaat slingeren zodat je in een rechte lijn rijdt. Het kijkgedrag is hier van groot belang, je moet namelijk ver voor je uit kijken naar het punt waar je naar toe wilt rijden. Als je ontspannen op je bromfiets zit met je kin vooruit en je handen ontspannen aan het stuur dan zal het snel lukken om met deze snelheid rechtdoor te rijden zonder te slingeren. Wanneer je (zoals de meeste in het begin doen) naar beneden kijkt vlak voor je voorwiel lukt het niet om in een rechte lijn te rijden. Als je dit bovendien in het verkeer doet zie je niet wat er allemaal om je heen gebeurt. Een goede oefening is om over een smalle plank te rijden.

30 à 45 km per uur

Als je sneller rijdt dan stapvoets, bijvoorbeeld 30 à 45 km per uur, wordt het kijkgedrag en de techniek bij het sturen nog belangrijker. Bij hogere snelheden is het in feite makkelijker om je evenwicht te bewaren. Extra aandacht moet je wel geven aan je omgeving. Omdat je nu met hogere snelheden rijdt, is het extra belangrijk veel aandacht te besteden aan de situatie om je heen.
Dus ook met deze snelheden, blijft een ontspannen en vooruit kijkende houding belangrijk.

Accelereren en snelheid verminderen

Het staat wel erg stoer om met slippende banden of op één wiel weg te rijden, maar heb je weleens stilgestaan bij de volgende punten:

- je komt sneller vooruit wanneer de wielen niet doorslippen omdat ze dan optimale grip hebben;
- je gebruikt hierdoor meer brandstof en daardoor ontstaan meer schadelijke uitlaatgassen die het milieu belasten;
- te sterk accelereren is slecht voor de banden. Deze slijten daardoor sneller af en jij moet tenslotte de rekening betalen voor nieuwe banden.

Correct en effectief remmen

De bromfiets heeft twee remmen, de achterrem en de voorrem. Het is niet eenvoudig op een correcte en effectieve wijze te remmen. In de praktijk blijkt dat veel bromfietsers bang zijn de voorrem goed te gebruiken en daarom alleen gebruik maken van de achterrem. Als alleen met de achterrem wordt geremd, blijft circa tweederde van het nuttig remvermogen onbenut. In feite zorgt het achterwiel maar voor éénderde van je remvermogen en het voorwiel voor tweederde. Een juist gebruik van de voorrem is dus heel belangrijk. Rem nooit alleen met de voorrem in een (scherpe) bocht. Veel jongeren die op hun fiets een terugtraprem gewend zijn, vinden het met de voorrem van de bromfiets remmen de eerste keer moeilijk. Het is daarom verstandig om eerst met de voorrem te oefenen, voordat je daarna beide remmen gaat gebruiken. Het moet als het ware een gewoonte worden dat je met de voorrem remt en alleen de achterrem gebruikt om de bromfiets te stabiliseren.

Remmen betekent altijd verlies van energie omdat je de reeds opgebouwde snelheid weer moet verminderen. Als je vaak remt wordt het milieu dus teveel belast.

Het is verstandig je rijsnelheid tijdig aan te passen zodat je zo min mogelijk hoeft te remmen.

Remmen met de achterrem

Als je de achterrem te hard indrukt, kan het achterwiel blokkeren. Het achterwiel stopt wel maar de bromfiets blijft nog lang doorglijden. Meestal zal de bromfiets rechtdoor glijden, maar dat ligt vaak aan het wegdek. Als het wegdek bijvoorbeeld naar rechts afloopt zal het achterwiel de weg van de minste weerstand zoeken en dus naar rechts glijden en zal de bromfiets onderuit slippen.

Ook heb je als bestuurder invloed op het wel of niet wegslippen van het achterwiel. Wanneer je namelijk niet ontspannen, maar in een gespannen houding op de bromfiets zit of ver naar één kant leunt zal de bromfiets ook de weg van de minste weerstand kiezen en daardoor wegslippen.

Een geblokkeerd wiel verlengt de remweg en veroorzaakt slippen. Een juiste remprocedure met de achterrem is: remmen tegen blokkeren aan en de rem zo doseren dat het wiel nog maar net blijft draaien. Dit is zeker niet gemakkelijk en zal je veel moeten oefenen en daarna moeten bijhouden.

Remmen met de voorrem

De voorrem heeft het meeste remvermogen, tweederde van de totale remkracht. De voorrem is echter ook de gevaarlijkste rem. Slipt het voorwiel eenmaal dan is het haast niet te voorkomen dat je met de bromfiets valt. Veel bromfietsers zijn daarom ook bang om de voorrem te gebruiken uit angst om te vallen. Daarom is oefenen belangrijk.

Het remmen met de voorrem kent drie fasen:

- lichte druk aanleggen;
- druk verhogen tot blokkeergrens;
- druk verminderen, niet blokkeren wanneer de snelheid daalt.

Remmen met beide remmen

De kortste en meest veilige remweg krijg je door beide remmen te gebruiken.

De remprocedure is als volgt:

- voorrem aanleggen;
- druk op de voorrem verhogen en achterrem aanleggen;
- druk op beide wielen opbouwen, zonder te blokkeren;
- druk afbouwen op beide remmen naarmate de snelheid daalt.

Remmen met de voorrem.

Remmen met de achterrem.

Remmen met beide remmen.

En natuurlijk mag je voor het remmen niet vergeten eerst in je spiegel te kijken of het achteropkomend verkeer niet wordt gehinderd.
Kortom: door beide remmen te gebruiken wordt de remkracht over twee wielen verdeeld. De kans op slippen is daardoor veel kleiner. Alleen als je op zand, sneeuw, modder of op grind rijdt, kun je beter alleen de achterrem gebruiken omdat het voorwiel waarop de meeste kracht komt te staan dan te snel blokkeert. In dit soort situaties is het dus belangrijk de snelheid te verlagen, zodat de remafstand kleiner wordt.
Als er desondanks toch een slip ontstaat, moet je de remmen even loslaten om de bromfiets weer in het spoor te krijgen. Daarna kun je gewoon weer van voor af aan beginnen met remkracht opbouwen, zodat je toch je doel bereikt.
Dit alles vergt veel vaardigheid. Dus veelvuldig oefenen!

Remkracht en wielbelasting

De remkracht van een wiel moet in overeenstemming zijn met de wielbelasting. Als een wiel zwaar belast is, mag de remkracht groot zijn. Als er heel hard geremd wordt met een wiel waar weinig gewicht op rust, kan het wiel blokkeren en gaat de band op de weg slippen (vooral op een nat, glad wegdek).
Als er weinig gewicht op een wiel rust, moet de remkracht ook klein zijn. Als er zacht wordt geremd met een zwaar belast wiel, hoef je niet bang te zijn voor slippen. Maar het beschikbare remvermogen wordt onvoldoende benut. Hierdoor wordt de remafstand veel groter.

Het remmen met een passagier achterop

Het rijden met een passagier achterop de bromfiets is iets heel anders, dan wanneer je alleen op de bromfiets rijdt. Het lijkt alsof de bromfiets in alles trager is en minder voorspelbaar reageert wanneer iemand achterop zit.
In tegenstelling tot wat velen denken, is de kans op blokkeren kleiner door het gewicht van de passagier. Je bromfiets uit een achterwielslip halen als er iemand achterop zit is juist weer heel moeilijk.

Correct en effectief sturen door bochten

De kunst om een bromfiets juist te besturen bestaat uit het verplaatsen van het zwaartepunt. Dat wil zeggen, dat je je gewicht verplaatst in de richting van de bocht.
Beginners maken soms de fout tegengewicht te willen geven en dan juist naar de andere kant overhellen.
Om de bromfiets op een juiste manier door de bocht te sturen moet je bepaalde technieken toepassen. Een bromfiets heeft namelijk de neiging om rechtdoor te willen gaan.
Denk maar eens aan een hoepel. Wanneer je deze een flinke duw voorwaarts geeft, blijft hij vanzelf rechtop staan en gaat hij dus rechtdoor. Zodra de hoepel snelheid mindert gaat hij scheef naar links of naar rechts hangen.
Zodra hij scheef naar voren rolt maakt hij automatisch een bocht in de richting waarin hij overhangt.
Met de bromfiets kun je deze natuurlijke krachten gebruiken bij het bochten rijden.

Je moet een bocht nooit sneller inrijden dan dat je dezelfde bocht weer uitrijdt. Het is zelfs beter om iets te langzaam de bocht in te gaan.
Je kan in het verloop van de bocht altijd weer gas bij geven, wat het rechtdoor rijden na de bocht weer makkelijker maakt. Zo voorkom je ook dat je in de bocht moet afremmen, omdat de bocht uiteindelijk veel scherper bleek dan dat je van tevoren dacht.
Ook kan er in de bocht zand of olie liggen op het wegdek, waar je voor moet uitwijken of moet afremmen.

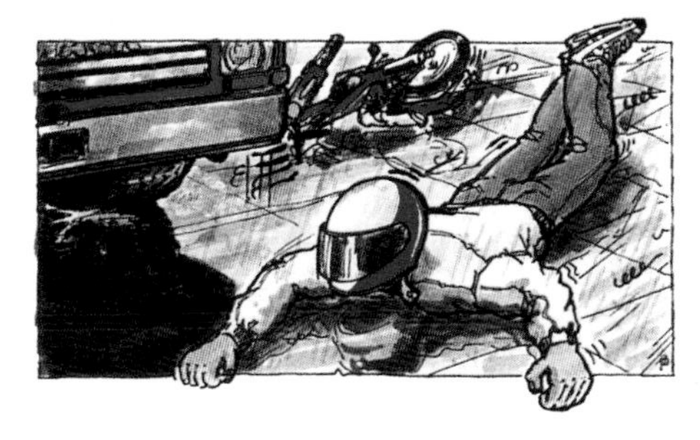

In de bocht remmen kan heel gevaarlijk zijn, dit kun je beter voorkomen.
Wanneer in een bocht geremd wordt en daarna weer gas wordt gegeven, wordt de remkracht in één keer overgezet in trekkracht, dit kan een flinke schuiver veroorzaken.

Het nemen van een veilige bocht doe je als volgt:
- tijdig snelheid minderen en eventueel terugschakelen;
- de bocht goed doorkijken;
- inrijden met licht trekkende bromfiets met staand gas;
- uitrijden met rustig opbouwen van de snelheid.

Noodstop

Je denkt misschien: 'dat overkomt mij niet', maar bijna iedere bromfietser zal wel eens meemaken dat hij een noodstop moet maken. Er kunnen obstakels op de weg liggen, oneffenheden en spoorvorming in de weg zitten en er kan olie of water op de weg liggen. Ook kan iemand anders een fout maken, zoals het openzwaaien van een portier vlak voor dat je bij de auto bent. Als je zoiets tegenkomt moet je plotseling remmen of uitwijken. Om in zo'n geval de bromfiets goed onder controle te houden moet je een goede bromfietser zijn. Uit onderzoek blijkt dat veel bromfietsers al op de grond liggen vóór dat ze het obstakel geraakt hebben. Deze bromfietsers hebben zich dus in paniek onderuit geremd en hadden de bromfiets niet goed genoeg onder controle of zaten te dromen.

Waar moet je extra op letten bij een noodmanoeuvre?

Belangrijk is dat je zowel van de voorrem als van de achterrem gebruik maakt.

Dus niet in blinde paniek voluit met de achterrem remmen. De bromfiets benut dan immers maar éénderde van de remkracht en heeft de kans om van achteren weg te slippen. Bovendien duikt de bromfiets naar voren, waardoor het achterwiel wordt opgetild met als gevolg: minder grip en dus doorslippen. Zodra een wiel blokkeert is de bromfiets onbestuurbaar. Je kunt het naar voren duiken van de bromfiets beter benutten met je voorrem, want wanneer er meer druk op je voorwiel staat door het duiken, kun je meer remkracht uitoefenen op je voorwiel. Het voorwiel zal meer tegen het wegdek worden gedrukt en daardoor minder snel blokkeren.

Reactietijd

De reactietijd is de tijd die je nodig hebt, voordat je een bepaalde handeling uitvoert. Het is dus de tijd tussen het zien van een plotseling gevaar en het moment van remmen of uitwijken.

Men heeft gemiddeld één seconde nodig om tot een daadwerkelijke reactie te komen. Bij een snelheid van 36 km per uur (= 10 m per seconde) heb je vanaf het moment dat je wilt gaan remmen dus al 10 m afgelegd. In die 10 m heb je dus niets gedaan en rijd je bromfiets nog steeds met 36 km per uur verder. Tijd betekent in het verkeer dus: afstand afleggen. Hoe groter de snelheid is hoe meer meters je per seconde aflegt in de tijd dat je nog niet gereageerd hebt.

De reactiesnelheid wordt onder meer beïnvloed door:
- geluidssterkte: hoe luider een geluid (bijvoorbeeld een hard toeterende auto) hoe sneller je reactie zal zijn;
- een waarschuwing: als je bijvoorbeeld van tevoren een waarschuwing krijgt in de vorm van een bord, let je vaak beter op en dit bevordert je reactiesnelheid;
- rijvaardigheidsbeïnvloedende middelen, zoals alcohol, drugs en geneesmiddelen, vertragen je reactiesnelheid;
- vermoeidheid: als je vermoeid bent, reageer je trager;
- afgeleid zijn: als je door vrienden bent afgeleid, zul je minder snel reageren in geval van nood.

Remweg
De remweg is de afstand die nodig is om tot stilstand te komen vanaf het moment van daadwerkelijk remmen. De remweg is afhankelijk van de remvertraging. Daarnaast is de remweg afhankelijk van de belading van de bromfiets (bagage of passagier) en van de toestand van het wegdek (soort wegdek, nat of droog wegdek).
Bij verdubbeling van de rijsnelheid is de remweg viermaal zo lang. Bij een verdrievoudiging is die negenmaal zo lang. Met andere woorden: er is sprake van kwadratische toename van de remweg.

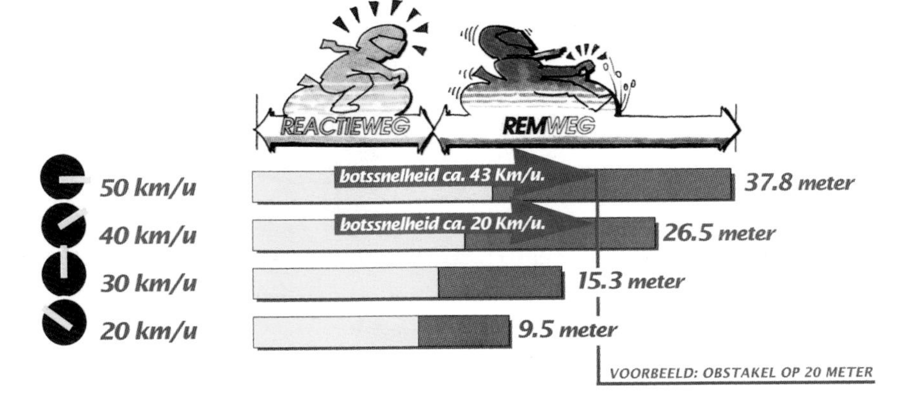

Stopafstand
De stopafstand = de afgelegde weg in de reactietijd + remweg. Bij een rijsnelheid van 20 km per uur is de stopafstand 9,5 m en bij een verdubbeling van de rijsnelheid is de stopafstand meer dan twee keer zo lang, namelijk 26,5 m.

Voorbeeld 1:	Snelheid 20 km per uur	
	Afgelegde weg in de reactietijd	= 5,6 m
	Remweg	= 3,9 m
	Stopafstand	= 9,5 m

Voorbeeld 2: Snelheid 40 km per uur

	Afgelegde weg in de reactietijd	= 11,1 m
	Remweg	= 15,4 m
	Stopafstand	= 26,5 m

NOTITIES

5. Voertuigkennis en onderhoud

Inleiding
Hoe beter je de bromfiets onderhoudt, hoe langer de bromfiets meegaat en hoe veiliger hij blijft. De bromfiets moet daarom in goede staat worden gehouden. Om dit te bereiken is een regelmatige en doelgerichte controle noodzakelijk. Regelmatige controles komen niet alleen je eigen veiligheid ten goede maar ook die van anderen. Daarnaast werkt het kostenbesparend wanneer je je bromfiets goed onderhoudt. Om je bromfiets goed te onderhouden is het handig als je iets afweet van de werking van de motor van de bromfiets en alles wat daarmee te maken heeft.

In dit hoofdstuk komen drie hoofdthema's aan de orde:
- onderhoud van de bromfiets;
- voertuigkennis;
- controle van de bromfiets.

Onderhoud

Hoe beter je de bromfiets onderhoudt, hoe langer de bromfiets dus meegaat.
Kapotte onderdelen moet je tijdig (laten) vervangen. Dankzij de moderne techniek is het onderhoud van de bromfiets minimaal. Wel moet je het onderhoudsschema van de fabrikant altijd volgen. Als vuistregel geldt dat een bromfiets iedere 5.000 km of anders éénmaal per jaar een servicebeurt nodig heeft. In normale gevallen kost een servicebeurt tussen de 25 en 50 euro. Het is verleidelijk te be-sparen op onderhoud, maar tijdig onderhoud voorkomt later hoge kosten.
Bij het TNO worden ondermeer metingen gedaan met betrekking tot de uitstoot van schadelijke stoffen, geluidsproductie, vermogen en maximumsnelheid. Een bij TNO gekeurde bromfiets voldoet aan de in de Nederlandse wet gestelde eisen.
Bromfietsen die worden opgevoerd, voldoen vanzelfsprekend niet meer aan deze eisen. Het is dan ook strafbaar een bromfiets op te voeren. Als er met een opgevoerde bromfiets op de openbare weg gereden wordt is zowel de bestuurder als ook de eigenaar aansprakelijk. De vermogensmeting bij bromfietsen vindt plaats met behulp van een rollentestbank. Bromfietsers die op een bromfiets rijden met een te hoog opgevoerd vermogen en gepakt worden door de politie kunnen een geldboete opgelegd krijgen. Het is ook goed mogelijk dat politie of justitie de bromfiets in beslag neemt en de opgevoerde onderdelen uit de bromfiets verwijdert en vernietigd. Als je de bromfiets dan terug krijgt van de politie, zul je de verwijderde onderdelen moeten vervangen door originele onderdelen. Dit kost je veel geld.

De bromfietsmotor

De motor van een bromfiets is meestal een verbrandingsmotor. De verbrandingsmotor heeft volgens het RVV 1990 een cilinderinhoud van ten hoogste 50 cm^3.

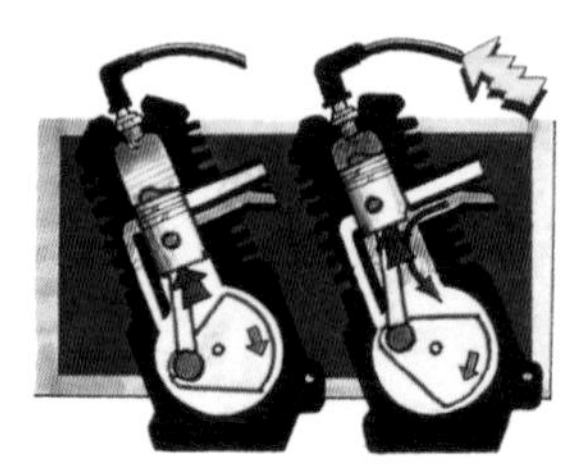

1. In het begin van deze slag wordt de zuiger omhoog gedrukt waardoor het mengsel boven de zuiger wordt samengeperst.
2. Als de zuiger dan bijna boven is, ontsteekt de bougie, tegelijkertijd wordt weer nieuwe brandstof in het carter verzameld.

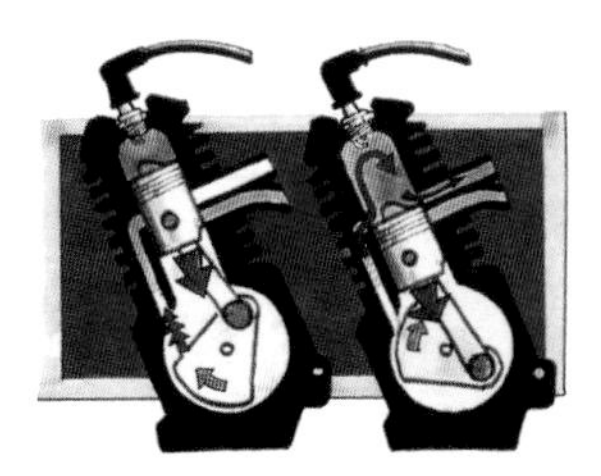

3. In deze slag verwerkt de zuiger de explosie. Deze wordt met kracht naar beneden gedrukt.
4. Dan wordt het verzamelde mengsel de verbrandingskamer ingedrukt, de resten van de verbrande gassen worden verdreven.

Heel algemeen kan gesteld worden, dat de motor lucht aanzuigt (via de zuiger), daar brandstof bij mengt en dit onder hoge druk verbrandt binnen de verbrandingskamer (cilinder). Het brandstofmengsel komt de verbrandingsruimte binnen via openingen in de cilinder (spoelpoorten). Deze spoelpoorten zijn afhankelijk van de stand van de zuiger, geopend of gesloten.
Door inwendige verbranding stijgt de temperatuur daardoor zetten de gassen uit en stijgt de druk in de cilinder. De druk wordt omgezet in arbeid.

De cilinder wordt door de hoge druk boven de zuiger naar beneden gedrukt. Dit proces herhaalt zich vele malen per minuut.
Om de zuiger is een veer aangebracht die de zuiger op zijn plaats houdt en die voor een betere afsluiting tussen cilinderwand en zuiger zorgt.
Het omzetten van verbrandingswarmte in druk op de zuiger en de omzetting van deze druk in beweging wordt arbeidsproces genoemd.

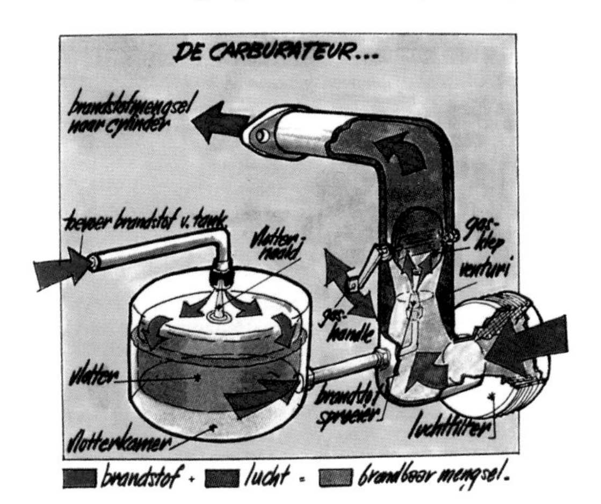

In de buitenlucht zitten allerlei stof-deeltjes. Vooral op stoffige wegen, bos- en zandpaden komt veel stof voor. Een zuiger kan dit niet goed verdragen. Deze glijdt precies passend in de cilinder op en neer. Als daar stof tussen komt kan de zuiger verslijten of zelfs vastlopen, waardoor hij klem komt te zitten in de cilinder en niet meer op en neer wil. Er wordt dan van een vastloper gesproken. Als je een vastloper hebt, moet je de bromfietsmotor laten reviseren en dat kost een hoop geld. Een luchtfilter filtert inkomende lucht. Hierdoor blijft slijtage aan de motor tot een minimum beperkt. Het is dus onverstandig om een bromfiets op te voeren door het luchtfilter te verwijderen. Een vervuild luchtfilter belemmerd een goede toevoer van lucht naar de motor. Hierdoor krijgt de motor een te rijk mengsel, loopt de motor niet goed en neemt het brandstofverbruik toe.
Dit heeft weer tot gevolg dat de uitlaatgassen van de bromfiets aanmerkelijk vuiler zijn. Ook de vervuiling in de motor neemt dan toe, waardoor er weer meer slijtage op treedt.

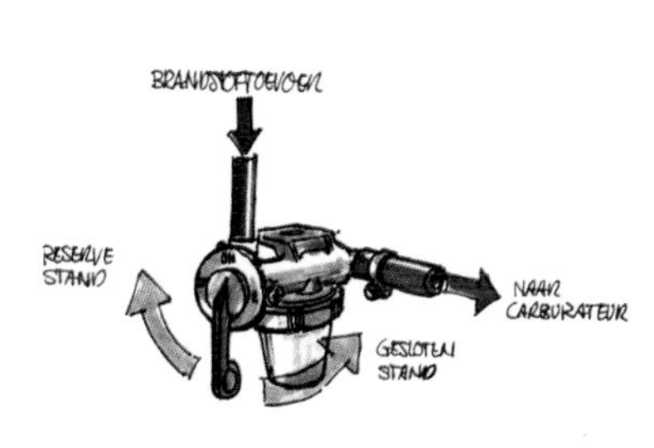

Benzinekraantje
Een benzinekraantje heeft een ingebouwd filter dat verontreinigingen opvangt, voordat die de carburateur kunnen bereiken. Als het filter verstopt raakt, kan er geen benzine naar de carburateur stromen. Om dit te voorkomen moet je het benzine kraantje af en toe schoonmaken.
Als een bromfiets lang stil heeft gestaan, kan het gebeuren dat een dikke laag olie onder in de tank blijft zitten, waardoor de kraan verstopt raakt.
In zo'n geval moet de tank eerst gereinigd worden.

Elektrische installatie
De drie belangrijkste onderdelen van het elektrisch systeem van de bromfiets zijn: de accu, de ontsteking en de bougie.

Accu

De accu is de plaats waarin de elektrische energie is opgeslagen die voor het starten van de bromfiets en de stroomvoorziening van belang is. De accu fungeert als stroomreservoir en wordt tijdens het rijden door de dynamo bijgeladen. Van tijd tot tijd verdient het aanbeveling de accupolen schoon te maken en het vloeistofniveau te controleren. De accu mag uitsluitend met gedistilleerd water bijgevuld worden.
Omdat zich in de accu loodverbindingen en zwavelzuur bevinden, dient de oude accu als chemisch afval beschouwd te worden. Je kunt hem inleveren bij een garage (dit kost vaak wel wat geld) of inleveren bij de gemeente bij het depot klein chemisch afval.

Ontsteking

Bij het starten en draaien van de motor laat de ontsteking het mengsel van benzine en lucht ontbranden. Het benzine/lucht mengsel (als de zuiger bijna op het hoogste punt is) wordt ontstoken door een ontstekingsvonk van de bougie in de cilinderkop (de vonk bestaat uit het overspringen van hoogspanning tussen de elektroden van de bougie). Het brandbare mengsel wordt tot ontsteking gebracht, het mengsel verbrandt en wordt vervolgens omgezet in arbeid.

Bougie

De bougie-elektroden bevinden zich onderin de bougie. Door de vonk die van de ene naar de andere bougie-elektrode overspringt wordt het brandbare mengsel tot ontsteking gebracht. Als er geen vonken overspringen, kan dit veroorzaakt worden doordat er een laagje kool tussen de elektroden zit. De koolaanslag moet verwijderd worden, anders vonkt de bougie niet of niet sterk genoeg en een zwakke vonk geeft onvolledige verbranding en leidt weer tot koolaanslag. Dit leidt weer tot milieuvervuiling en tot minder motorvermogen. Ook het ontstekingstijdstip (het moment waarop de vonk over springt) is erg belangrijk. Er moet (door de fabrikant) precies worden uitgerekend wanneer de vonk moet overspringen. Als de vonk op het verkeerde moment overspringt, bijvoorbeeld nadat de zuiger alweer naar beneden is, levert de verbranding niet voldoende vermogen en zal er geen volledige verbranding zijn. Als er een onvolledige verbranding is krijg je weer vervuiling in de motor met alle gevolgen zoals hiervoor besproken.

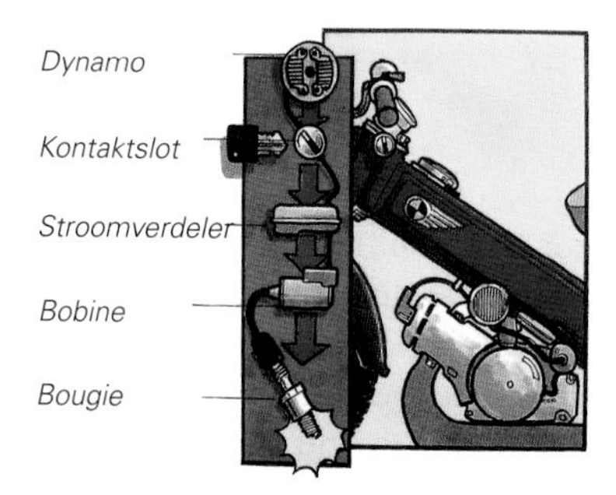

Uitlaat

De uitlaat is bedoeld om het motorgeluid te dempen en (bij aanwezigheid van een katalysator) de uitstoot van schadelijke gassen te beperken, maar heeft ook invloed op de prestaties van de motor. Een uitlaat die lek is produceert meer geluid en is daardoor, en door een eventuele grotere uitstoot van schadelijke stoffen, schadelijk voor het milieu. Nog altijd zijn er jongeren die denken dat naarmate de bromfiets meer lawaai produceert, de motor ook meer vermogen levert. Het tegendeel is waar.

Fabrikanten hebben veel aandacht besteed aan de afstemming van de brandstofvoorziening en het in- en uitlaatsysteem. Wanneer één van deze systemen wordt gewijzigd, leidt dat maar zelden tot vermogenswinst, zonder dat daar voordelen tegenover staan.

Smering
Als twee stukken metaal droog op elkaar bewegen en warm worden, ontstaat er wrijving en dus slijtage. De slijtage is minder naarmate de oppervlakken gladder zijn. Onderdelen in de motor worden daarom van elkaar gescheiden door een laagje olie. De onderdelen glijden dan soepel over elkaar zonder elkaar te raken (tenminste als de olielaag dik genoeg is).

Koelsysteem
Het ontwikkelen van mechanisch vermogen gaat gepaard met warmte ontwikkeling. De koeling is nodig om de warmte af te voeren. Het materiaal zou anders te heet worden en gaan scheuren of smelten of teveel uitzetten.
De eenvoudigste manier van koelen is rijwindkoeling. De rijwind stroomt over de hete onderdelen, waardoor het teveel aan warmte wordt afgevoerd. Hoe hoger de snelheid, hoe sterker de koeling.
Een meer ingewikkeld systeem is waterkoeling. Bij dit systeem wordt er water door de motor gepompt die op zijn beurt de warmte meevoert naar een radiateur. De radiateur is zo geplaatst dat er rijwind langs komt zodat het water dat zich in de radiateur bevindt wordt afgekoeld. Als de rijwind niet in staat is om voor voldoende koeling te zorgen, zal er automatisch een ventilator, die achter de radiateur geplaatst is gaan draaien om alsnog het koelwater af te koelen.

Overbrenging
De verbinding tussen de motor en het achterwiel wordt tot stand gebracht met behulp van versnellingen. Sommige bromfietsen hebben een automatische versnelling en bij andere bromfietsen moet zelf geschakeld worden. De eerste versnelling heeft de laagste snelheid, maar de grootste trekkracht. Bij elke volgende versnelling neemt de snelheid van de bromfiets toe, maar de trekkracht neemt af.
Er zijn diverse manieren om een wiel aan te drijven. De aandrijving vindt meestal plaats met behulp van een ketting. Een ketting dient goed gespannen te zijn. Een ketting werkt beter als er geen stof, zand of vuil op zit. Een ketting zit meestal niet in een kettingkast, dus kan hij gemakkelijk vuil worden. Besef dat zand slecht is voor de ketting: zand heeft een schurende werking en hierdoor kan de ketting slijten. Het beste moment om de ketting te smeren is wanneer je net een grote afstand hebt gereden. De ketting wordt namelijk warm van het gebruik en als de ketting warm is zal het vet automatisch beter tussen de schakels en de rolletjes trekken.

Vering en schokdemping
De stand van de voorvork is belangrijk voor het stuurgedrag van de bromfiets.
De voorvork staat niet loodrecht op het wegdek en de hoek die hij maakt is belangrijk

voor het rijgedrag van de bromfiets. Wanneer de voorvork ver vooruit staat zal de bromfiets prettig en stabiel vooruit rijden door de trekkende kracht die op het voorwiel staat, het nadeel van deze afstelling is dat de bromfiets daardoor minder wendbaar wordt. Wanneer de voorvork steil op het wegdek staat is de bromfiets zeer wendbaar, maar ook nerveus op het rechte stuk, waardoor je bijvoorbeeld meer last van spoorvorming hebt. De vering en schokdempers moeten in een goede staat van onderhoud verkeren.

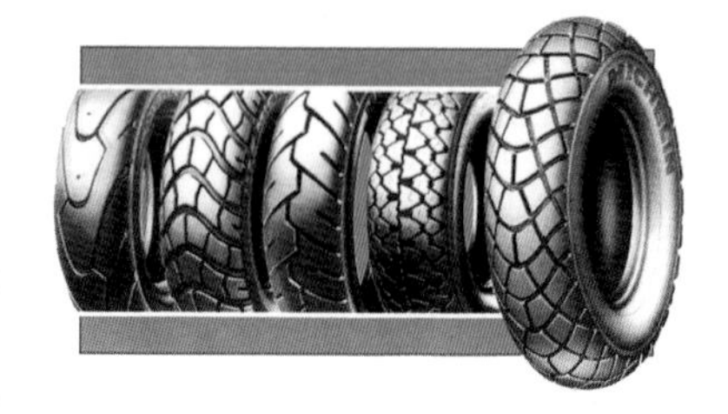

Banden

De wielen van een bromfiets moeten zijn voorzien van luchtbanden. De banden van een bromfiets zijn belangrijk, omdat zij voor het contact met de weg zorgen. Banden bestaan uit koordlagen, waar overheen een rubberlaag zit. Aan de omtrek van de band is het loopvlak gemonteerd met een bepaald profiel erop, terwijl er speciale koordlagen vlak onder het loopvlak en de zijkant zijn aangebracht om de band stevig te maken. Het profiel van de band dient bij voorkeur meer dan 1 mm te bedragen. Wanneer het profiel minder dan 1 mm is, is de grip op het wegdek minder (vooral bij een nat wegdek), de remweg langer en de wegligging slechter.

Het profiel van de band bepaalt het houvast op de weg. Zodra het regent wordt het water op het wegdek afgevoerd door het profiel dat als een soort afvoergootje zal functioneren.

Zodra de band versleten raakt worden de afvoergootjes (profiel) te klein om al het regenwater af te voeren, waardoor de bromfiets minder grip op het wegdek krijgt. De banden mogen niet opgesneden (nageprofileerd) zijn. Het loopvlak mag geen metalen elementen bevatten en de banden mogen geen beschadigingen of uitstulpingen vertonen. Verder moet de draairichting van de band overeenkomen met de voorwaartse rijrichting van de bromfiets. Banden op één as moeten dezelfde maat hebben.

Een band zonder profiel (slick genoemd) voldoet prima op een droog, stroef wegdek maar is gevaarlijk op een nat wegdek. Een band zonder profiel is ook moeilijk te besturen op een oneffen wegdek, hij heeft daar in feite teveel grip voor en zal daardoor alle oneffenheden volgen.

Terreinbanden hebben noppen nodig om grip te hebben in bijvoorbeeld mul zand. Bij bromfietsen zien we voor de voorband vaak een 4PR- en achter een 6PR-aanduiding. PR betekent Ply-Rating, dat wil zeggen dat het draagvermogen overeenkomt met vier respectievelijk zes koordlagen. Als een band beschadigd is, kunnen de koordlagen van het canvasweefsel binnen in de band aangetast zijn en daardoor mogelijk scheuren. De banden moeten dus regelmatig gecontroleerd worden.

Hoe lang een band meegaat, hangt af van een aantal factoren:
- als de band overbelast wordt, kan dit leiden tot beschadiging; overbelasting kan ontstaan doordat een bromfietser vaak stoepen op- en afrijdt;
- de manier van rijden: snel optrekken en fel remmen zullen het bandoppervlak sneller doen slijten;
- de spanning in de band: een te lage spanning leidt tot extra slijtage van de band.

Het repareren van een lekke band van een bromfiets vereist andere handelingen als bij een fiets. Er kunnen bijvoorbeeld geen fietspleisters worden gebruikt. De plaats om het lek dient wel eerst goed ruw geschuurd te worden. Vervolgens wordt er echter geen solutie gebruikt maar een vulkaniserende pleister. De warmte die in de band ontstaat door de wrijving met het wegdek tijdens het rijden, zorgt ervoor dat de pleister zich nog steviger aan de band gaat hechten en uitvloeit tot in alle kleine hoeken van het voormalige lek.

Wielen

Bromfietsen kunnen zijn uitgerust met gewone fietswielen, gietwielen of Comstar-wielen.

Gewone fietswielen bestaan uit naven met vaste assen en spaken. Gietwielen zijn gegoten uit een aluminiumlegering en hebben naven met een steekas.

De Comstarwielen zijn wielen met geperste stalen spaken.

Fietswielen voldoen prima, mits de spaakspanning voldoende is. Als de spaken los komen te staan wordt het wiel slap en kunnen de spaken breken tijdens het rijden door diepe kuilen in het wegdek. Dit is vanzelfsprekend levensgevaarlijk.

Remsysteem

Bromfietsen moeten zijn voorzien van een goed functionerende bedrijfsrem. Kapotte of slecht afgestelde remonderdelen leiden tot een verminderd remvermogen, blokkerende wielen en een langere remweg.

De remmen dienen minstens één keer per half jaar gecontroleerd te worden.

De remkabels mogen niet zijn gerafeld en er mag geen knik of speling in zitten. De remkabels dienen tijdig gesmeerd te worden en zonodig vernieuwd. Bij het aantrekken van de remhendel mag deze het stuur nooit raken. Doet hij dat wel dan is de rem niet goed afgesteld.

In de praktijk blijkt dat bromfietsremmen vaak ondeskundig worden onderhouden. In het voorwiel zitten meestal kabelgetrokken remmen, die door oprekken speling krijgen en periodiek afgesteld moeten worden, simpelweg door een moer aan te draaien. Veelal blijkt dit niet tijdig te gebeuren met als gevolg dat de belangrijkste rem onbetrouwbaar wordt. Bromfietsers die wel hun remmen zelf afstellen, spannen deze vaak te strak aan, waardoor ze constant met het remlicht aan rijden, onnodige slijtage veroorzaken en onnodig veel energie verspillen.

Er kunnen twee soorten remmen worden onderscheiden:

1. **Trommelremmen:**
   Trommelremmen hebben als voordeel dat die goed zijn ingepakt, waardoor ze ook bij nat weer goed werken en de kans op vervuiling erg klein is.

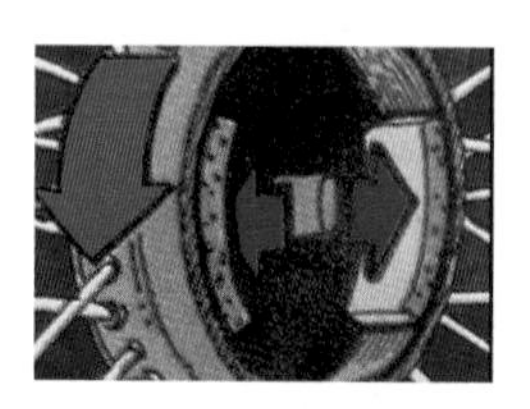

2. **Schijfremmen:**
   Deze zijn afkomstig uit de motorwereld en daardoor geschikt voor hogere snelheden. Omdat ze minder snel blokkeren dan trommelremmen, is het remvermogen beter. De nadelen zijn dat het een hydraulisch systeem is en daardoor wat storingsgevoelig en ze moeten bij nat weer eerst droog geremd worden.

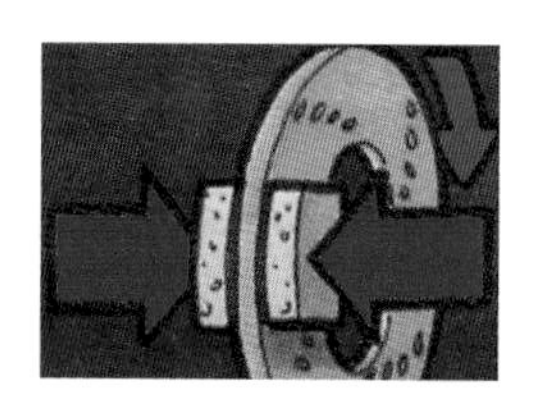

Windschermen en stroomlijnkappen

Sportieve bromfietsen zijn nogal eens voorzien van windschermen en stroomlijnkappen. Deze voorzieningen moeten deugdelijk zijn bevestigd en mogen de bediening van de stuurinrichting, de koppeling en de remmen echter niet belemmeren. Dat geldt ook voor een vaste inrichting om lading mee te vervoeren. Denk daarbij bijvoorbeeld aan een bromfietskoffer.

Schoonmaaktips

Het regelmatig grondig reinigen van de bromfiets zorgt ervoor dat de bromfiets er beter uit ziet, beter functioneert, en langer meegaat. De bromfiets kan worden schoongemaakt met een sopje. Je moet bij het schoonmaken op de volgende punten letten:

- Sluit de inlaat af om te voorkomen dat er water in komt. Dit kan met behulp van een plastic zak.
- Verwijder het luchtfilter of bedek het met plastic, zodat er geen water in kan komen.
- Als het motorhuis erg vet is, kan met een verfkwast ontvetter opgebracht worden. Let erop dat geen ontvetter op ketting, tandwielen of wielassen komt.
- Het vuil en de ontvetter kunnen het beste met een vochtige lap worden verwijderd.
- Droog de ketting meteen na het wassen.
- Alle verchroomde en gelakte oppervlakken kunnen met was worden behandeld. Gebruik geen combinatie van was en cleaner, daar cleaner vaak schuurmiddelen bevat en de beschermende laag aantast.
- Als alles klaar is start dan de motor en laat deze enige minuten draaien, zodat het vocht kan verdampen. Doe dit niet te lang, want dat is weer slecht voor het milieu.

Voertuigcontrole

Voordat je gaat rijden is het belangrijk aandacht te hebben voor de technische staat van de bromfiets. Je bent daar namelijk als eigenaar en/of bestuurder verantwoordelijk voor. De bromfiets moet, zoals dat genoemd wordt, in deugdelijke staat van onderhoud verkeren en blijven voldoen aan de gestelde eisen. Daarbij is het belangrijk dat je regelmatig de bromfiets controleert. Als je dat iedere rit doet, hoeft de controle nauwelijks tijd te kosten.
Let daarbij vooral op:
- brandstofpeil;
- oliepeil;
- remmen;
- bandenspanning;
- kettingspanning;
- verlichting;
- bel/claxon.

Brandstofpeil
Vrijwel alle in Nederland verkochte bromfietsen zijn de laatste jaren zogenaamde tweetaktbromfietsen met mengsmering. De olie wordt in speciale benzinepompen in een bepaalde verhouding met de benzine gemengd. Dit betekent echter niet dat altijd speciale bromfietssmering getankt moet worden. Steeds meer bromfietsen krijgen een eigen mengsmering via een apart oliereservoir op de bromfiets. Zij tanken dan de voorgeschreven benzinesoort aan de pomp.

Oliepeil
Indien nodig controleer je het oliepeil met de oliepeilstok. De bromfiets moet dan rechtstaan tijdens het controleren, anders krijg je een verkeerd beeld (te hoog of te laag niveau). Te weinig olie is slecht voor de motor, want dan kan de motor vastlopen. Te veel olie is ook niet goed, want dan kan de motor gaan roken, omdat niet alle olie kan worden tegengehouden.

Remmen
Controleer of de remkabels bij de hendel geen rafels vertonen. Verder moet er op gelet worden of er nergens sprake is van een knik in de remkabel. Ook is het van belang dat er geen speling is op de remkabels.

Bandenspanning
De bandenspanning moet regelmatig gecontroleerd worden, minstens voor iedere langere rit. De bandenspanning kan het beste gemeten worden voordat je gaat rijden. Door het rijden neemt de spanning in de banden toe door de oplopende temperatuur. Bij een te hoge temperatuur is het niet zinvol de bandenspanning te meten, bijvoorbeeld als de bromfiets lang in de zon heeft gestaan. Wanneer de bromfiets zwaar beladen wordt, moet de bandenspanning verhoogd worden.
Onvoldoende spanning van de banden leidt tot:
- een grotere kans op slijtage en beschadiging;
- een hoger brandstofverbruik (door verhoogde rolweerstand);
- een slechtere wegligging;
- een langere remweg.

Te harde banden maken het rijden minder comfortabel. De bandenspanning moet echter altijd binnen de door de fabrikant aangegeven waarden blijven.

Kettingspanning
Als een ketting te strak gespannen is, slijt deze extra snel. Ook is het van belang dat de ketting goed gesmeerd loopt. Een te strak gespannen en slecht gesmeerde ketting betekent kracht verspilling, want alles loopt er moeilijker door en dat leidt weer tot overmatig benzineverbruik. Dit wil ook zeggen, dat opvoeren weinig zin heeft als de ketting wordt vergeten bij het onderhoud aan de bromfiets. De door het opvoeren gewonnen PK's wegen lang niet op tegen het krachtverlies tengevolge van een slecht gespannen of gesmeerde ketting. Een te slap gespannen ketting is levensgevaarlijk. Het gevaar bestaat dat de ketting tussen de tandwielen slaat en dat daardoor het achterwiel blokkeert. Bij hoge snelheden is bijna altijd een valpartij het gevolg als het achterwiel blokkeert.

Verlichting
Bromfietsen moeten een dimlicht, een achterlicht en een niet-driehoekige rode reflector aan de achterzijde en vier ambergele retroreflectoren aan de trappers hebben. Verder mag een bromfiets zijn voorzien van grootlicht, stadslicht, richtingaanwijzers, waarschuwingsknipperlichten en een remlicht.
De bromfiets moet zijn voorzien van één of twee rode remlichten als de bromfiets een vermogen van meer dan 0,5 kW en een maximumsnelheid van meer dan 25 km per uur heeft. De bromfiets mag aan de achterzijde voorzien zijn van kentekenverlichting. Behalve groot licht mogen bromfietsen geen verblindende verlichting voeren. De elektriciteit voor de verlichting wordt in de dynamo opgewekt. De verlichting kan ook branden als de bromfiets stilstaat. Hierbij geldt wel dat de motor van een bromfiets moet draaien.

Bij de verlichting van een bromfiets moet je op een aantal punten letten:

- Het voorlicht (de koplamp) mag nooit verblindend zijn en moet daarom een beetje schuin naar beneden gericht zijn. Als de lamp omhoog straalt, kunnen tegenliggers immers verblind worden.
- Controleer het achterlicht en remlicht voordat je op de bromfiets wegrijdt. Om te controleren of het achterlicht of remlicht functioneert, zet je de bromfiets met de achterkant vlak voor een muur of een boom, zodat het achterlicht weerkaatst wordt.

Bel of claxon

Alle bromfietsen moeten een goedwerkende bel of een goedwerkende claxon met een vaste toonhoogte hebben.

NOTITIES

6. Maar je bent niet alleen op de weg

Inleiding

In dit hoofdstuk wordt ingegaan op het andere verkeer dat je als bromfietser tegenkomt. Je rijdt immers niet alleen op de weg. Van belang is dat je inzicht krijgt in de verschillen tussen de weggebruikers en dat je rekening moet houden met sterkere en zwakkere verkeersdeelnemers op de weg. Na het lezen van dit hoofdstuk begrijp je misschien beter waarom ouderen in het verkeer soms aarzelen, waarom kinderen onvoorspelbaar gedrag vertonen of waarom vrachtautochauffeurs bromfietsers niet altijd zien.

In dit blok staan de volgende hoofdthema's centraal, namelijk:

- zwakkere verkeersdeelnemers;
- sterkere verkeersdeelnemers;
- rijgedrag in een groep.
- verkeersgevaarlijk rijgedrag.

Zwakkere verkeersdeelnemers

Als je in het verkeer rijdt met je bromfiets, let je vaak wel op bij sterkere verkeersdeelnemers, zoals auto's, bussen en vrachtauto's. Dat doe je, omdat je je kwetsbaar voelt ten opzichte van deze voertuigen. Zij zijn immers groter en rijden vaak sneller. Wat je echter niet moet vergeten is, dat er ook mensen in het verkeer zijn die zich langzamer bewegen dan bromfietsen en die daardoor kwetsbaar zijn in het verkeer. Zwakkere deelnemers zijn jongere en oudere voetgangers en fietsers. Bromfietsers, fietsers en motorrijders zijn in vergelijking met automobilisten kwetsbare verkeersdeelnemers. Dat komt onder meer omdat hun vervoersmiddelen nauwelijks bescherming geven, waardoor de bestuurder gemakkelijk (ernstig) letsel oploopt bij een ongeval. In feite is de enige bescherming van de bromfietser de ruimte om hem heen.

Civiele aansprakelijkheid

Bij een aanrijding tussen een motorrijtuig en fietser en voetgangers wordt in principe de bestuurder van het motorrijtuig altijd aansprakelijk gesteld. Deze wet is er ter bescherming van erg kwetsbare groepen als fietsers en voetgangers. Zoals je weet, is een bromfiets ook een motorrijtuig. Je bent als eigenaar verplicht om de schade te vergoeden, tenzij je kunt aantonen dat het ongeval te wijten is aan overmacht. Dat is echter niet zo eenvoudig.

Voetgangers

Voetgangers moeten gebruik maken van het trottoir en het voetpad. Als een voetpad of trottoir ontbreekt, moeten voetgangers gebruik maken van het fietspad of fiets-/bromfietspad. Wanneer ook een fiets- of fiets-/bromfietspad ontbreekt, mogen zij zich op de rijbaan of in de berm begeven en zelf bepalen aan welke kant van de rijbaan of berm zij zich verplaatsen.

Voetgangers bewegen zich relatief langzaam. In gebieden met veel voetgangers moet je dus langzaam rijden en bij overstekende voetgangers tijdig gas terugnemen. Als het regent, zie je voetgangers minder snel en minder goed. In slechte weersomstandigheden zul je dus in drukke woongebieden altijd langzaam moeten rijden. Rijd ook niet keihard door plassen, want voetgangers kunnen door het opspattende water nat en vies worden. Door geparkeerde auto's, bomen en struiken zie je voetgangers vaak te laat. Pas ook in die omstandigheden je snelheid aan.

Kinderen te voet

Voor kinderen is het deelnemen aan het verkeer veel onveiliger dan voor volwassenen. Dit geldt vooral voor het te voet deelnemen aan het verkeer. Kinderen zijn speels en hebben niet altijd alle aandacht bij het verkeer. Kinderen gebruiken in woongebieden de straten als speelruimte en verstoppen zich vaak tussen de geparkeerde auto's, waar ze, in hun spel verdiept, onverwacht tussenuit kunnen schieten. Op weg naar school lopen kinderen vaak al spelend en rennend in groepjes. Hierbij zijn zij nogal eens afgeleid en hebben zij onvoldoende aandacht bij wat er op straat gebeurt. Stel, je ziet midden op straat een voetbal liggen. Je kunt verwachten dat achter de bal een kind de rijbaan op rent. Wacht dan niet af maar begin meteen met remmen. Met andere woorden: verwacht het onverwachte. Hoewel het verkeersonderwijs op de basisscholen verplicht is, is de kennis van de regels vooral bij jonge kinderen vaak slecht. Verwacht dus niet dat kleine kinderen zich altijd aan de verkeersregels houden. Daarnaast kunnen kinderen bepaalde situaties nog niet goed beoordelen. Ze zijn nog niet goed in staat de bedoelingen van anderen waar te nemen. Ook hebben kinderen problemen met het snel overzien van ingewikkelde situaties.

Oudere voetgangers

Ouderen verplaatsen zich relatief vaak te voet. Naarmate ze ouder worden neemt het aantal lichamelijke functies in het algemeen af: het reactievermogen neemt af, de lichaamscoördinatie is minder goed en minder snel en het gezichtsvermogen neemt af. Ook verstandelijke vermogens kunnen afnemen. Zeker wanneer ouderen onder tijdsdruk staan, kan de achteruitgang van lichamelijke en geestelijke functies hen in problemen brengen. Als gevolg hiervan hebben sommige oudere voetgangers meer tijd nodig om over te steken en vertonen zij hierbij een weifelend gedragspatroon. Het risico op ernstig lichamelijk en dodelijk letsel is bij oudere voetgangers groter dan gemiddeld. Dit komt, omdat ze een grotere kans lopen gewond te raken en te overlijden door een verkeersongeval.

Gehandicapten (voetgangers)
Gehandicapten hebben een meer dan gemiddelde kans bij een ongeval betrokken te raken. Oorzaak hiervan is onder andere dat bij de weginrichting in het algemeen geen rekening gehouden wordt met de beperkingen die gehandicapten hebben. Door tekortkomingen in het wegontwerp en door hun eigen lichamelijke beperkingen hebben gehandicapten in het algemeen ook meer tijd nodig om over te steken. Hierbij kunnen zij zich in het verkeer onzeker en soms zelfs angstig voelen. Het is van groot belang dat je laat merken dat je de gehandicapte gezien hebt en dat de gehandicapte weet dat hij de tijd krijgt om over te steken, te passeren, in te stappen e.d. Gehandicapten in een rolstoel zijn door hun lage positie niet altijd duidelijk zichtbaar voor het overige verkeer. Daarnaast kunnen gehandicapten ook zelf het verkeer minder goed overzien, omdat ze laag zitten, of omdat ze een beperking van hun beweging hebben. Personen die zich moeilijk voortbewegen moeten vóór gelaten worden. Dit geldt ook voor blinden, voorzien van een witte stok met één of meer rode ringen.

Fietsers
Fietsers en bromfietsers maken voor een groot deel gebruik van dezelfde weggedeelten, zoals fiets-/bromfietspaden. Jonge fietsers hebben vaak weinig verkeersinzicht en ze zijn slecht op de hoogte van de verkeersregels. En als ze de regels wel kennen, dan houden ze zich daar vaak niet aan. Als een fietser een hand uitsteekt, is het in veel gevallen alleen om andere fietsers te groeten. Fietsers vormen een belangrijke groep verkeersdeelnemers, zowel in aantal als in betekenis. De fietser zelf is een kwetsbare verkeersdeelnemer.
De fiets geeft nauwelijks bescherming bij een ongeval, waardoor de bestuurder gemakkelijk (ernstig) letsel oploopt bij een ongeval.
De contouren van een fiets zijn smal en kort, waardoor het voertuig tussen het overige verkeer niet zo goed opvalt. Bovendien rijden fietsers aan de rand van de weg, wat de zichtbaarheid van de fietsers in het verkeer niet vergroot.
In slechte weersomstandigheden en bij duisternis zijn fietsers slecht zichtbaar voor anderen, zelfs als er met verlichting wordt gereden. Het komt helaas ook vaak voor dat de fietsverlichting slecht van kwaliteit is: sommige dynamo's werken niet meer als er neerslag valt.
Een fietser heeft snelheid nodig om in evenwicht te blijven. Hoe sneller hij kan fietsen, hoe beter dit lukt. In verkeerssituaties waarin de fietser geen snelheid kan blijven houden, moet hij met stuurbewegingen z'n evenwicht herstellen. Dit slingeren doet zich bijvoorbeeld voor wanneer de fietser bij een verkeerslicht moet wegrijden of wegens drukte langzaam moet fietsen.
Er zijn omstandigheden waarin de fietser z'n evenwicht kan verliezen, zoals bij harde wind, tussen hoge gebouwen en bij onderbrekingen van huizenrijen. Verder zijn fietsers extra gevoelig voor gladheid als gevolg van sneeuw of ijzel. Bij het passeren van fietsers moet de bromfietser altijd voldoende tussenruimte houden (minimaal 1 m). De enige bescherming van een fietser is immers de ruimte om hem heen. Is ruim passeren niet mogelijk, wacht dan op een veilig moment. Fietsers mogen met z'n tweeën naast elkaar rijden. Snorfietsers en bromfietsers mogen dit niet.

Kinderen op de fiets

Kinderen zijn kwetsbaar in het verkeer, vooral op de fiets. Ze hebben nog weinig ervaring op de fiets. Hoewel het fietstempo over het algemeen niet hoog zal liggen, ligt het tempo toch een stukje hoger dan ze te voet gewend waren. Dit vereist dat ze sneller moeten reageren en eerder een situatie moeten overzien. Voor een belangrijk deel moeten zij dit nog leren, terwijl zij op de fiets zitten. Bovendien zijn kinderen speels en hebben ze niet altijd alle aandacht bij het verkeer. Dit betekent dat bromfietsers fietsende kinderen voldoende vrije ruimte moeten geven en rekening moeten houden met onverwachte bewegingen van kinderen, bijvoorbeeld kinderen die plotseling een zwieper maken op de fiets of opeens naar links afslaan. Je moet bij het naderen van fietsende kinderen daarom altijd je snelheid minderen en bij het inhalen extra ruim passeren.

Schoolgaande jeugd op de fiets

Schoolgaande fietsers rijden vaak in grote groepen. Ze doen dit voor de gezelligheid, voor sociale veiligheid en het geeft een gevoel van verkeersveiligheid (een groep fietsers valt beter op in het verkeer dan een enkele fietser en geeft bescherming). De aandacht is daarbij vooral op elkaar gericht en in mindere mate op het overige verkeer. Zij volgen soms blindelings de andere fietsers uit de groep. Soms kan dit leiden tot onverwacht en onberekenbaar gedrag. Gevaarlijke situaties doen zich soms voor bij verkeerslichten. De voorste fietsers kunnen nog veilig door groen licht rijden, maar de achterste fietsen daarentegen door rood licht.

Oudere fietsers

Een andere kwetsbare groep is de oudere fietser. Het tempo van de oudere fietser is vrij laag. Hierdoor kunnen ze wat meer slingeren om zo hun evenwicht te bewaren. Ook hebben ze voor veel manoeuvres in het verkeer wat meer tijd nodig dan anderen en is de kans aanwezig dat ze niet in alle situaties even oplettend reageren.

Race- en trimfietsers

Race- en trimfietsers kunnen onverwacht hoge snelheid hebben en zullen minder goed in staat zijn op tijd tot stilstand te komen. In bepaalde gevallen is het daarom verstandig deze fietsers voor te laten gaan en hen voldoende ruimte te bieden. Veel racefietsers hebben geen verlichting en vallen dus niet altijd even goed op bij donker weer.
Ook is het van veel sportieve rijders de gewoonte de rijbaan te gebruiken in plaats van het fietspad omdat dit wegdek vaak gladder is en dus comfortabeler en sneller te berijden.

Gewenst gedrag

- Houd rekening met verkeersdeelnemers die zich doorgaans langzaam bewegen en kwetsbaar zijn in het verkeer, zoals voetgangers, fietsers, kinderen, ouderen en gehandicapten.
- Pas je snelheid aan in gebieden met veel voetgangers en neem tijdig snelheid terug.
- Houd rekening met speels en onverwacht gedrag van kinderen.
- Houd minimaal 1 m passeerafstand.

Kenmerken van sterkere verkeersdeelnemers

Behalve zwakkere verkeersdeelnemers zijn er ook verkeersdeelnemers die een stuk minder kwetsbaar zijn dan een bromfietser. Dit zijn vooral de zware voertuigen, zoals bussen, auto's en vrachtauto's. Zware voertuigen zijn vooral bedreigend voor anderen. Bij een botsing ben jij de dupe als je tegen een groot en zwaar voertuig opbotst.

Motorrijders

Een motorfiets is een stuk zwaarder dan een bromfiets. Maar de kreukelzone van een motorrijder is net als bij de bromfietser en de fietser beperkt tot de ruimte om hem heen. Op de weg moet de motorrijder dus een volwaardige plaats innemen. Motorfietsen zijn, net als bromfietsen, minder stabiel dan auto's. Ze zijn gevoelig voor onregelmatigheden in het wegdek, zoals kuilen, hobbels, putdeksels, tramrails, tekens op het wegdek en goten. Deze kenmerken van het wegdek kunnen de motorrijder uit balans brengen, vooral bij nat weer, als hij probeert deze onregelmatigheden in het wegdek zoveel mogelijk te ontwijken. Ook de motorrijder is gevoelig voor zijwind.

Automobilisten

Als je op een bromfiets rijdt bestaat het andere verkeer voor het grootste deel uit bestuurders van personenauto's. In Nederland rijden meer dan acht miljoen auto's rond.

Op een fietspad, fietsstrook of fiets-/bromfietspad mogen geen auto's rijden. Helaas gebeuren er veel ongelukken met rechtsafslaande automobilisten, die rechtdoorgaande bromfietsers over het hoofd zien en hen niet voor laten gaan. Vooral jonge automobilisten met weinig verkeerservaring zijn vaak bij een ongeval betrokken.

De auto is voor jou als bromfietser één van de grootste gevaren in het verkeer, simpelweg omdat je er zoveel van tegenkomt. Vooral op kruispunten vinden ongevallen met auto's plaats. Om een groot aantal redenen wordt een bromfiets veel slechter waargenomen en herkend dan een auto. Een voorbeeld hiervan zie je op de foto's. Als bromfietser moet je er dus rekening mee houden dat je niet gezien wordt. Ook je naderingssnelheid wordt dikwijls onderschat. Houd dus ook rekening met je snelheid in dergelijke gevallen.

Kruip ook niet in een dode hoek aan de zij- of achterkant van auto's. Vooral bij vrachtauto's kan dat gevaarlijk zijn.

Tip: Als jij de automobilist/vrachtautochauffeur in zijn/haar spiegel ziet, ziet hij/zij jou ook!

Een bromfiets past gemakkelijk achter de raamstijlen van een auto.

Vrachtauto's en autobussen

Vrachtauto's en autobussen spelen een belang-rijke rol in het hedendaagse verkeer. Dagelijks bevinden zich circa een half miljoen vracht-auto's en autobussen op de Nederlandse wegen. Vrachtauto's en autobussen mogen niet sneller rijden dan 80 km per uur. Zware voertuigen zijn vooral bedreigend voor anderen. Bij botsingen is er sprake van een zeer hoge mate van ongelijkwaardigheid, uiteraard ten nadele van de zwakkere verkeersdeelnemers (zoals bromfietsers). Bij dodelijke ongevallen zijn vrachtauto's en autobussen naar verhouding vaak betrokken. Uit cijfers blijkt dat bromfietsers en voetgangers maar liefst 45% uitmaken van alle doden die vallen bij botsingen met vrachtauto's en autobussen.

Mogelijke verklaringen hiervoor zijn de volgende:

- Vrachtauto's en autobussen rijden dag en nacht onder alle weersomstandigheden. Het transport moet immers doorgaan. De arbeidsomstandigheden zijn daardoor niet optimaal. Omdat het verkeer steeds drukker wordt, terwijl daar bij de tijdsplanning niet altijd rekening mee wordt gehouden, overschrijden veel vrachtauto- en buschauffeurs de snelheidslimieten om toch nog op tijd op hun bestemming aan te komen. Voor bussen geldt ook nog dat zij vaak in de stad en op smalle, bochtige wegen op het platteland rijden. Juist op deze plaatsen rijden veel fietsers en bromfietsers.
- Bus- en vrachtautochauffeurs hebben een beperkt zicht naar achteren en rechts opzij. De lengte en de breedte zorgen ervoor dat vrachtauto's en autobussen veel ruimte in beslag nemen, vooral bij het nemen van bochten. Als je als bromfietser met hoge snelheid komt aanrijden en bijvoorbeeld naast een vrachtauto of autobus gaat rijden, moet je goed oppassen dat je je niet in de dode hoek bevindt. Bij het afslaan is de dode hoek namelijk extra gevaarlijk. Als je een vrachtauto van achteren nadert en inhaalt, ben je vaak niet of te laat zichtbaar. Als je hard rijdt op je bromfiets, vergroot je dus de risico's, ook al moet de ander je voor laten gaan.
  Een handige truc om de risico's te beperken is ervoor te zorgen dat je de vrachtautochauffeur in zijn spiegel kunt zien. Dan kan de chauffeur jou namelijk ook zien. Ga niet naast een vrachtauto of autobus rijden. Rijd ervoor of erachter en houd voldoende afstand zodat je zicht op het overige verkeer hebt.
- Vrachtauto's hebben een grote omvang. Soms vervoeren vrachtauto's vracht met uitstekende delen, waardoor je gemakkelijk geraakt kunt worden.
- Denk bij vrachtauto's en autobussen aan het uitzwaai-effect als zij afslaan.
- Door het grote gewicht van autobussen en vrachtauto's zijn ze traag met schakelen, op snelheid komen en in het afremmen; voor autobussen geldt dat minder dan voor geladen vrachtauto's.

Gewenst gedrag

- Wees bedacht op zware voertuigen.
- Bedenk dat deze chauffeurs een beperkt gezichtsveld hebben (dode hoek), vooral als zij naar rechts afslaan en de bromfietser rechtdoor wil.
- Houd altijd voldoende afstand (zeker in bochten).
- Pas je snelheid tijdig aan.
- Laat voldoende ruimte over voor motorvoertuigen, vooral wanneer je moet invoegen op de rijbaan.

Speciale voertuigen en bijzondere verkeersdeelnemers

Speciale (bestuurders van) voertuigen/bijzondere verkeersdeelnemers zijn onder anderen:

- gehandicaptenvoertuigen;
- ruiters en geleiders van rij- of trekdieren of vee;
- bestuurders van bespannen of onbespannen wagens;
- trams en militaire colonnes ;
- optochten en uitvaartstoeten;
- voertuigen met bijzondere snelheden.

Speciale voertuigen kunnen afwijkend zijn qua vorm. Het kan zijn, dat zij andere snelheids- en/of voorrangsregels mogen toepassen of dat door hun belading andere regels gelden. Extra oplettendheid bij deze voertuigen is dus van groot belang.

Gehandicaptenvoertuigen

Bestuurders van een gehandicaptenvoertuig mogen zelf hun plaats op de weg kiezen. Ze mogen het trottoir, het voetpad, het fietspad, het fiets-/bromfietspad of de rijbaan gebruiken. De bestuurder van een gehandicaptenvoertuig moet dus zelf beoordelen welk weggedeelte in welke situatie volgens hem het veiligst is. De bestuurder van een gehandicaptenvoertuig moet zijn snelheid aanpassen aan de situatie op het weggedeelte waarop hij rijdt. Indien een bestuurder van een gehandicaptenvoertuig gebruik maakt van het trottoir of voetpad, moet hij zijn snelheid aanpassen aan de drukte op het trottoir of voetpad.

Rij- of trekdieren, vee en ruiters

Onder bespannen wagens worden onder meer een paard en wagen verstaan. Een onbespannen wagen is bijvoorbeeld een handkar. Bespannen en onbespannen wagens zijn slecht wendbaar. De wagens kunnen niet eenvoudig uitwijken en allerlei door de bestuurder/begeleider te verrichten handelingen verlopen nogal traag. Bij bespannen wagens moet je rekening houden met plotselinge schrikreacties van het dier voor de wagen.

Trams

Trams rijden in de grote steden Den Haag, Amsterdam, Rotterdam en Utrecht. Voor trams gelden afwijkende voorrangsregels. Hierdoor gebeuren er relatief vaak ongelukken tussen trams en andere voertuigen. Het verkeer is de laatste jaren sterk toegenomen en daarmee zijn het aantal ongelukken met de tram ook verontrustend toegenomen.

Behalve met de afwijkende voorrangsregeling voor trams dien je rekening te houden en altijd extra voorzichtig om te gaan met de omstandigheden op en om een trambaan.

- In slechte weersomstandigheden zijn tramrails spekglad. Als je hard remt op natte tramrails, kan een slippartij het gevolg zijn.
- De wielen van de bromfiets kunnen blijven steken in de tramrails, waardoor je uit balans raakt en valt. Het is het veiligst de trambaan haaks over te steken.
- Als je naast de trambaan rijdt moet je eventueel aanwezige witte lijnen niet over-schrijden, omdat je anders in de tramrails terecht komt.
- Wegens parkeerproblemen in de grote steden blokkeren auto's vaak de ruimte die beschikbaar is om in te halen. Als je de tram daardoor niet meer rechts kunt inhalen, moet je om de auto's en de tram heen rijden. Pas dan extra op voor achteropkomend en tegemoetkomend verkeer.

Colonnes

Door voetgangers gevormde colonnes, optochten of uitvaartstoeten mogen gebruik maken van de rijbaan en volgen dan dezelfde regels die gelden voor bestuurders van wagens.

Militaire colonnes en uitvaartstoeten

Weggebruikers mogen militaire colonnes en uitvaartstoeten van motorvoertuigen (zie begrippen) niet doorsnijden. Op gelijkwaardige kruispunten geldt dat zowel voor het kruisende als voor het tegemoetkomende of afslaande verkeer. Dat betekent dat je een colonne of een uitvaartstoet die bezig is een kruispunt op te rijden of over te steken voor moet laten gaan. Als de militaire colonne of de uitvaartstoet een kruispunt nadert (nog niet is opgegaan) moet deze zich houden aan de normale voorrangsregels.

Op voorrangswegen en voorrangskruispunten ligt dit anders. Daar mag het kruisend verkeer dat op de voorrangsweg of het voorrangskruispunt rijdt de colonne of stoet wel doorkruisen. De colonne of stoet moet dan voorrang verlenen. Dat heeft te maken met de regel: Verkeerstekens (voorrangsborden) gaan boven verkeersregels (verbod doorsnijden).

Let echter goed op. Als er sprake is van tegenkomen of afslaan dan geldt het verbod wel. Bijvoorbeeld als een militaire colonne of uitvaartstoet met motorvoertuigen op een voorrangweg of voorrangskruispunt naar links afslaat, dan mag het tegemoetkomende verkeer ook op deze kruispunten de colonne of stoet niet doorsnijden.

Bestuurders van militaire colonnes en uitvaartstoeten hoeven bij voetgangersoversteekplaatsen, voetgangers en bestuurders van een gehandicaptenvoertuig die op het punt staan om over te steken, niet voor te laten gaan. Ook hoeven ze de bestuurder van een autobus die bij een bushalte weg wil rijden niet voor te laten gaan.

Voorrangsvoertuigen

Voorrangsvoertuigen zijn motorvoertuigen die de hierna genoemde optische en geluidssignalen voeren. Het zijn motorvoertuigen in gebruik bij politie, brandweer, diensten voor spoedeisende medische hulpverlening en andere officieel aangewezen hulpverleningsdiensten, ook al hebben ze niet de uiterlijke kenmerken hiervan (zoals auto's van de recherche). Bij 'spoedeisende medische hulpverlening' moet je vooral aan ambulances denken. De voorgeschreven bijzondere signalen bestaan uit blauwe zwaai-, flits- of knipperlichten en een tweetonige hoorn om kenbaar te maken dat zij een dringende taak vervullen. Voorrangsvoertuigen mogen overdag ook knipperende koplampen voeren. Voorgeschreven is dat voorrangsvoertuigen een tweetonige hoorn voeren. Oudere ambulances mogen tot september 2013 nog hun drietonige hoorn voeren, dus dat geluid blijven we nog wel even horen!
Je moet bestuurders van voorrangsvoertuigen altijd voor laten gaan.

Segway

Een Segway is een elektrisch aangedreven voertuig met twee parallel geplaatste wielen. De segway is op de weg toegelaten, maar voor het gebruik gelden wel enkele regels.
De bestuurder moet minstens 16 jaar oud zijn, maar hoeft geen helm te dragen of een rijbewijs te hebben. Reflectoren zijn wel verplicht, evenals een verzekering. Wanneer de Segway 'bij nacht' gebruikt wordt, is verlichting verplicht. Verder volgen bestuurders van een Segway dezelfde regels als bestuurders van snorfietsen en mogen dus onder andere niet mobiel bellen, niet naast elkaar rijden en maximaal 25 km per uur rijden. Een Segway moet achterop een blauwe snorfietskentekenplaat hebben.

Voertuigen met bijzondere snelheden

Voor sommige motorvoertuigen gelden bijzondere maximumsnelheden. De wetgever heeft dit gedaan, omdat het niet veilig is deze voertuigen op de weg sneller te laten rijden.

De meeste van deze voertuigen dienen, wegens hun grote omvang, altijd met de nodige voorzichtigheid te worden genaderd. Een bromfietser moet vooral oppassen voor tractoren. Een tractor kan bij het uitrijden van het land een modderspoor achterlaten, waardoor de banden van de bromfiets minder grip op het wegdek krijgen. Pas ook extra op voor tractoren die werktuigen vervoeren. Deze kunnen uitzwaaien bij het maken van bochten. Ook moet je bij tractoren extra alert zijn bij het inhalen zij hebben namelijk net als vrachtauto's een flinke dode hoek.
Land- en bosbouwtrekkers, motorvoertuigen met beperkte snelheid en de daardoor getrokken aanhangwagens moeten aan de achterkant een afgeknotte driehoek voeren.

Land- of bosbouwtrekker.

Bij vrachtauto's met een aanhangwagen heb je natuurlijk een veel langere inhaalafstand. Is het een combinatie of misschien een trekker met oplegger of gewoon een solo vrachtauto?

Vrachtauto.

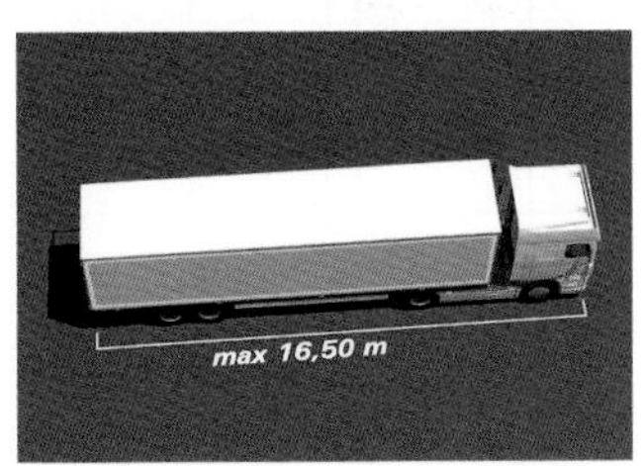

Trekker met oplegger.

Vrachtauto met aanhangwagen.

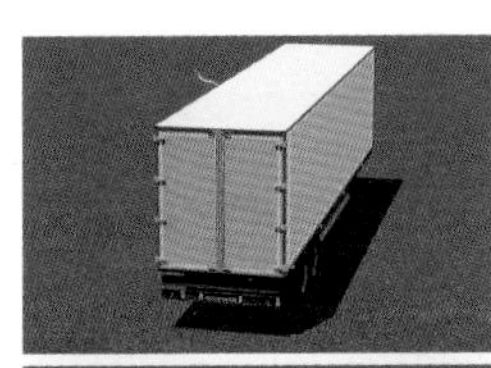

Nieuwe markering.

Oude markering.

hfst 6

Schema maximumsnelheden

Maximumsnelheid voor	Binnen bebouwde kom			Buiten bebouwde kom			
	Rijbaan	Fiets-/ bromfietspad	Erf	Rijbaan	Fiets-/ bromfietspad	Autoweg	Autosnelweg
Personenauto, bestelauto, kampeerauto (personenauto en bedrijfsauto < 3500 kg), trike en motorfiets.	50	-		80	-	100	130
T100-bus.	50	-		80	-	100	100
Personenauto, bestelauto, kampeerauto (personenauto en bedrijfsauto < 3500 kg), trike, T100-bus en motorfiets. Alle met aanhangwagen < 3500 kg.	50	-		80	-	90	90
Vrachtauto, autobus en kampeerauto (bedrijfsauto > 3500 kg) en motorvoertuigen met aanhangwagen > 3500 kg.	50	-		80	-	80	80
Bromfiets en gehandicaptenvoertuig met motor.	45	30		45	40	-	-
Brommobiel.	45	-		45	-	-	-
Snorfiets.	25	25		25	25	-	-
Land- en bosbouwtractor en voertuigen met beperkte snelheid.	25	-		25	-	-	-
Alle bestuurders			15				

	Trottoir Voetpad
Gehandicaptenvoertuig met motor.	6

Denk bij het lezen van het schema aan de volgende punten:

- Bij kampeerauto's kunnen twee soorten kentekenbewijzen worden afgegeven n.l. personenauto en bedrijfsauto.
- Bromfietsen mogen niet op het fietspad; gehandicaptenvoertuigen mogen dat wel.
- Waar in het schema het woord 'trike' wordt gebruikt wordt een driewielig motorvoertuig bedoeld.
- De aanduidingen '< 3500 kg' en '> 3500 kg' betekenen; met een toegestane maximummassa van niet meer dan 3500 kg en; met een toegestane maximummassa van meer dan 3500 kg.

Bromfietsen in een groep

Met een groepje vrienden naar huis bromfietsen is natuurlijk een stuk gezelliger dan in je eentje en als groep voel je je sterker. Dit is echter een gevaarlijke misvatting. Voordeel is wel dat je als groep beter opvalt in het verkeer. Automobilisten bijvoorbeeld zien je niet alleen eerder, ze moeten ook vaak hun snelheid aanpassen. Ze kunnen immers niet zomaar voorbij een groep bromfietsers rijden. Maar het gevaar bestaat dat je meer aandacht besteedt aan je vrienden dan aan het overige verkeer. Er is wel eens onderzoek gedaan naar de bereidheid van bromfietsers zich te houden aan de verkeersregels. Een verrassend resultaat van dit onderzoek was dat bromfietsers het veel belangrijker vonden dan fietsers om zich aan de verkeersregels te houden en om zich veilig in het verkeer te gedragen. Uit ervaringen met bromfietsers op de weg blijkt echter het tegendeel; bromfietsers houden zich in de praktijk veel minder aan de verkeersregels dan fietsers. Hoe zou dit komen? Bromfietsers zeggen dat ze de verkeersregels heel belangrijk vinden, maar ze houden zich er niet aan.

Voor deze tegenstrijdigheden is wel een verklaring te bedenken. Veel bromfietsers laten zich op het moment dat ze in groepsverband rijden, verleiden tot het uithalen van allerlei acrobatische toeren en evenwichtsoefeningen op de bromfiets. Het probleem is, dat dit de aandacht van het overige verkeer afleidt.

Toegegeven, waarschijnlijk maak je jezelf wel onsterfelijk populair als je op een wiel met 60 km per uur door de bocht vliegt, maar de kans dat je deze act nog een keer kunt doen, is vrij klein. En ook een bromfietswedstrijd op de openbare weg is erg leuk, maar jij hebt er niets aan als jij of andere slachtoffers met een ambulance naar het ziekenhuis worden vervoerd.

Misschien heb je het gevoel dat je vrienden een bepaalde druk op je uitoefenen om stoer te doen en risico's te nemen. Een beetje stoer is prima, maar maak het niet al te bont.
Uiteindelijk is je eigen mening over wat je wel en niet kunt doen in het verkeer een stuk belangrijker dan die van je vrienden. Een bromfiets is een vervoersmiddel en geen competitiemiddel. Je kunt je immers afvragen of die leuke vrienden van je je ook komen opzoeken wanneer je in het ziekenhuis beland na een spectaculaire act.
Laat je dus niet gek maken in het verkeer!

Agressief en sportief rijgedrag
Als je met je bromfiets in het verkeer rijdt, dan zul je rekening moeten houden met andere mensen in het verkeer. Als bromfietser begrijp je pas hoe gedachteloos sommige fietsers aan het verkeer deelnemen als je zelf eenmaal op een bromfiets rijdt. Datzelfde geldt voor een automobilist: bijna iedereen zegt dat hij nu pas inziet hoe dom hij vroeger als bromfietser of fietser in het verkeer heeft gehandeld. Als je in het verkeer rijdt, zul je je rijgedrag moeten aanpassen aan de overige verkeersdeelnemers. En dien je je sportief en fair te gedragen in plaats van agressief.

Nu kun je misschien denken: 'Het is toch zeker mijn eigen zaak hoe ik me gedraag in het verkeer?' Maar dit is niet helemaal waar. Immers, zolang jij op een bromfiets zit ben je blij dat sterkere verkeersdeelnemers rekening met jou houden. En zwakkere verkeersdeelnemers zijn weer blij als jij met hen rekening houdt.

Hoe gedraag je je nu sportief in het verkeer? Belangrijk hierbij is het volgende:

- Dat je rekening houdt met voetgangers, fietsers en andere zwakkere verkeersdeelnemers (zoals kinderen en bejaarden). Houd van tevoren rekening met een situatie die kan ontstaan en "verwacht het onverwachte".
- Dat je ervan uitgaat dat je voorrang moet krijgen en niet moet nemen.
- Dat je je rustig door het verkeer begeeft. Als een oudere voetganger staat te aarzelen om over te steken raak dan niet meteen vreselijk geïrriteerd maar denk eraan dat jij ook, misschien mede dankzij deze cursus, eens de respectabele leeftijd van 80 jaar of ouder kunt bereiken.

Maatregelen bij verkeersgevaarlijk gedrag

Beginnersrijbewijs

Om de verkeersveiligheid te verhogen is het beginnersrijbewijs ingevoerd. Onderzoek heeft uitgewezen dat beginnende bestuurders vaker bij een ongeval zijn betrokken. Naast onervarenheid is roekeloosheid één van de oorzaken. Daarom is ingesteld dat, in de eerste 5 jaar, het rijbewijs van beginnende bestuurders na drie (wordt twee) zware overtredingen (puntensysteem) wordt geschorst. Een theoretisch examen en een rijproef bepalen of je rijbewijs wordt teruggegeven of definitief wordt ingenomen.

EMG

Een andere maatregel is de Educatieve Maatregel Gedrag en verkeer (EMG).
De EMG is een maatregel binnen de vorderingsprocedure van het CBR. Als de politie je staande houdt omdat je je tijdens één rit meerdere malen schuldig hebt gemaakt aan gevaarlijk rijgedrag in het verkeer, wordt dit doorgegeven aan het CBR. Als je dit doet binnen de bebouwde kom is één overtreding voldoende om een EMG op te leggen. Wordt deze cursus aan je opgelegd dan is deelname verplicht en moet je de kosten zelf betalen. Bij weigering wordt je rijbewijs ongeldig verklaard.
De cursus bestaat uit een individueel voorgesprek, 1 hele cursusdag en twee halve cursusdagen. Je leert op de cursus om op een veilige manier deel te nemen aan het verkeer.

Bron: CBR

7. Pech onderweg en ongevallen

Inleiding

Als je met je bromfiets onderweg bent, bestaat de kans dat je pech krijgt met je bromfiets. Dat is een vervelende situatie. Daarom worden in dit hoofdstuk enkele tips gegeven hoe je bij pech moet handelen. Verder kun je te maken krijgen met ongevallen. Ook daar gelden enkele regels voor.

Je kunt overigens zelf maatregelen nemen om de kans bij een ongeval betrokken te raken zo klein mogelijk te houden. Zorg dat je de bromfiets veilig kunt gebruiken. Houd daarom het vizier van je helm schoon, zorg voor voldoende frisse lucht zodat je geconcentreerd kunt rijden. Zorg ervoor dat je de bromfiets goed kunt bedienen en draag de juiste kleding. Neem voldoende rust voordat je aan een lange rit begint. Neem op tijd een rustpauze bij een langere rit, want 15% van de verkeersongevallen is het gevolg van vermoeidheid.

Probeer nooit risico's te nemen of je eigen grenzen op te zoeken. Dat kan resulteren in het onderschatten van verkeersrisico's. Dat is één van de redenen waarom beginnende bestuurders vaker betrokken zijn bij ongevallen.

Mens, omgeving en voertuig

De drie factoren die de belangrijkste oorzaak zijn van verkeersongevallen zijn; mens, omgeving en voertuig. Nog steeds is het zo dat de mens, met 90%, de grootste oorzaak is van verkeersongevallen. Naast deze factoren spelen de weersomstandigheden ook een belangrijke rol in het verkeer. Regenval geeft een verminderd zicht en een langere remweg, voorzichtigheid is dus geboden. Sneeuw geeft ook een verminderd zicht maar zorgt daarnaast ook voor ernstige gladheid waardoor de grip tussen de banden en het wegdek vermindert. Bruggen en viaducten zijn weggedeelten die als eerste glad worden als het gaat vriezen. Ongevallen zijn in de samenleving een dagelijks voorkomend verschijnsel. Je hebt de kans zelf bij een ongeval betrokken te raken of hiervan getuige te zijn. Het is van belang dat je in de eerste ogenblikken van een ongeval de juiste eerste hulp verleent. Het zou het beste zijn als iedereen in het bezit zou zijn van een geldig EHBO diploma maar dat is niet het geval. EHBO betekent Eerste Hulp Bij Ongelukken. Het is niet verplicht een dergelijk diploma te hebben. Maar je moet wel enige kennis hebben van de eerste hulp die je aan slachtoffers moet verlenen na een ongeval.

Pech onderweg

Als je je bromfiets goed onderhoudt, is de kans op pech onderweg heel erg klein. In het begin van dit boek hebben we er ook op gewezen dat je, voorafgaande aan iedere rit, je bromfiets moet controleren.

De kans op onverwachte problemen is dan gering. Maar de techniek blijft kwetsbaar en het kan de beste overkomen dat er plotseling iets kapot gaat. Dan is het handig als je weet waar je op moet letten.

Als je pech hebt met je bromfiets, moet je de bromfiets zo plaatsen dat het geen of zo min mogelijk hinder oplevert voor de andere weggebruikers. Je plaatst bijvoorbeeld je bromfiets bij de rand van het trottoir of in de berm. Plaats je bromfiets niet in het midden van het trottoir, want je hindert daardoor de voetgangers.

Soms kun je bepaalde technische mankementen aan de bromfiets onderweg zelf oplossen. Het is daarom verstandig om de volgende onderdelen altijd mee te nemen op de bromfiets:

- steeksleutel en ringsleutel voor loszittende moeren of bouten;
- reserve bougie en bougiesleutel;
- schroevendraaier;
- reserve benzineslang;
- plakspullen;
- klein tasje met verbandspullen, zoals jodium, pleisters, en gaasjes (voor ongevallen).

Verkeersongevallen

hfst 7

Dood of letsel door schuld

Deze regel heeft betrekking op verwijtbare schuld aan gevaarlijk gedrag, waardoor een verkeersongeval ontstaat waarbij iemand wordt gedood of ernstig wordt verwond. Het is een ieder die aan het verkeer deelneemt verboden zich zodanig te gedragen dat een aan zijn schuld te wijten verkeersongeval plaatsvindt, waardoor een ander wordt gedood of waardoor een ander zwaar lichamelijk letsel wordt toegebracht. Dat geldt ook bij lichamelijk letsel waardoor tijdelijke ziekte of verhindering van de normale bezigheden ontstaat.
Bij de bepaling van de schuld wordt er in de rechtspraak vanuit gegaan dat er sprake moet zijn van aanmerkelijke onvoorzichtigheid of onoplettendheid. Het is strafverzwarend als je deze feiten pleegt als je onder invloed bent van drank, drugs of geneesmiddelen. Omdat deze regel een ieder die aan het verkeer deelneemt betreft, geldt dat bijvoorbeeld ook (incl. strafverzwarende omstandigheden) voor passagiers van bromfietsen. Overtreding van deze regel is een misdrijf.

Verlaten plaats ongeval

Deze regel wordt ook wel het vluchtmisdrijf genoemd. Het motief om een ongeval te verlaten kan verschillend zijn. Meestal is het om te voorkomen dat er andere zaken aan het licht komen, zoals drankgebruik of onverzekerd rijden.
Het is degene die bij een verkeersongeval is betrokken of door wiens gedraging een verkeersongeval is veroorzaakt, verboden de plaats van het ongeval te verlaten als:

- Bij dat ongeval, naar hij weet of redelijkerwijs moet vermoeden, een ander is gedood dan wel letsel of schade aan een ander is toegebracht.
- Daardoor, naar hij weet of redelijkerwijs moet vermoeden, een ander aan wie bij dat ongeval letsel is toegebracht, in hulpeloze toestand wordt achtergelaten.

Niet strafbaar

Niet strafbaar ben je, als je in het eerste geval (dood, letsel en schade), op de plaats van het ongeval behoorlijk de gelegenheid hebt geboden je identiteit vast te stellen. In het geval waarin je een motorrijtuig hebt bestuurd, geldt dat ook voor de identiteit van dat motorrijtuig.

Vrijwillig melden

Er kan sprake zijn van een ongeval waarin gewonden niet in hulpeloze toestand worden achtergelaten. In dat geval heeft degene die de plaats van het ongeval heeft verlaten 12 uur de tijd zich vrijwillig bij de politie te melden. Voorwaarde is wel dat je daarvoor niet door de politie bent aangehouden. Bij die mel-ding moet je je identiteit en eventueel de identiteit van jouw voertuig bekend maken.

Markeren van de ongevalplaats

Verleen ook hulp bij een ongeval waar je niet zelf bij betrokken bent.

Na het plaatsvinden van een ongeval moet voorkomen worden dat het ongeval zich uitbreidt. Het is dus van belang dat de ongevalplaats gemarkeerd wordt. Aangezien je op de bromfiets geen gevarendriehoek bij je draagt, kun je aan een automobilist vragen of hij zijn gevarendriehoek wil plaatsen. Zij kunnen de plaats van het ongeval soms ook afschermen met hun auto en het naderende verkeer waarschuwen door middel van hun knipperende waarschuwingslichten.

Afhandelen van een ongeval

Veelal zal de afhandeling van een ongeval via de betrokken verzekeringsmaatschappijen lopen. Zij kunnen dat alleen maar doen als ze over de juiste gegevens beschikken. Die gegevens dien je te verstrekken middels een Europees schadeformulier. Vul zo'n formulier samen met de tegenpartij in en zorg dat je weer een nieuw formulier 'op voorraad' hebt.

Eerste Hulp Bij Ongelukken (EHBO)

Aangezien ongevallen in de samenleving een dagelijks voorkomend verschijnsel zijn, is het van belang dat in de eerste ogenblikken na het ongeval de juiste eerste hulp wordt verleend. Iemand die in het bezit is van een EHBO-diploma is in staat op veilige wijze hulp te verlenen. Eerste hulp bij ongelukken is de hulp die geboden wordt aan een slachtoffer in afwachting van de komst van deskundige hulp, zoals een arts of deskundig personeel van een ambulance. Eerste hulp beoogt het voorkomen van overlijden en invaliditeit, het stabiliseren van de toestand van het slachtoffer, het geven van morele steun en

het overdragen van het slachtoffer in een zo goed mogelijke conditie aan deskundige helpers. Veel mensen hebben echter geen EHBO-diploma. Om dit probleem op te lossen heeft 'Het Oranje Kruis', vastgesteld welke hulpmaatregelen, in noodgevallen, kunnen worden genomen door mensen die niet in het bezit zijn van een EHBO-diploma, de zogenaamde vuistregels van de EHBO. Het gaat om handelingen die voor het slacht-offer van zo groot belang kunnen zijn, dat zij niet achterwege gelaten mogen worden. Eigenlijk moet elke verkeersdeelnemer deze vuistregels kennen en in de praktijk kunnen toepassen.
Hoewel elke ongevalsituatie anders is, moeten de volgende vijf vuistregels altijd deel maken van het handelen:

Vijf belangrijke vuistregels bij het verlenen van eerste hulp
In bijna alle gevallen bestaat de eerste hulp uit vijf onderdelen die altijd van toepassing zijn.
In volgorde van belangrijkheid moet je:

- **Op gevaar blijven letten.**
  Je moet eerst maatregelen nemen voor je eigen veiligheid en dan voor anderen. Neem geen onnodige risico's, zodat je zelf ook slachtoffer wordt.
- **Weten of nagaan wat er is gebeurd en wat het slachtoffer mankeert.**
  Goede eerste hulp en informatie aan professionele hulp, zoals een arts en de bemanningsleden van een ambulance en traumahelikopter is van groot belang voor verdere behandeling van het slachtoffer.
- **Als het slachtoffer aanspreekbaar is dan geruststellen.**
  Praat met en luister naar het slachtoffer en houd hem vast en blijf zelf onder alle omstandigheden rustig en vriendelijk. Ook als het slachtoffer lastig, onder invloed of agressief is.
- **Waarschuw deskundige hulp, zoals een arts of ambulance.**
  Blijf als dit mogelijk is zelf bij het slachtoffer en laat een ander, bijvoorbeeld een omstander, zo snel mogelijk deskundige hulp inroepen. Maak gebruik van het gratis Europees alarmnummer 112 of van een praatpaal. Bij minder ernstige ongevallen bel je in Nederland 0900-8844. Omdat voor slachtofferhulp goede informatie van het grootste belang is moet je het volgende doorgeven:
  - de naam van de melder,
  - de juiste plaats waar de hulp moet komen,
  - wat er precies gebeurd is,
  - het aantal slachtoffers en wat het slachtoffer of de slachtoffers waarschijnlijk mankeert/mankeren. Blijft de hulp volgens jou te lang weg, neem dan geen risico en laat nogmaals hulp inroepen.
- **Het slachtoffer hulp verlenen op de plaats waar hij zit of ligt.**
  Het is belangrijk om het slachtoffer te helpen op de plaats waar hij zich bevindt, dus zonder hem te verslepen of te verplaatsen. Wacht de komst van een arts of ambulance ter plaatse af. Alleen als er gevaar dreigt voor overrijding, verdrinking, ontploffing of brand, kan het nodig zijn het slachtoffer te verplaatsen. Echter nooit verder dan strikt noodzakelijk is.

Eerste hulp aan slachtoffers

Eerste hulp moet in ieder geval worden verleend bij ernstige bloedingen, stoornissen van de ademhaling, bewusteloosheid, brandwonden, botbreuken en ontwrichtingen. Verleen je hulp, denk er dan aan dat je in volgorde aandacht besteedt aan de drie vitale functies die direct het leven bedreigen n.l.:

- bewustzijn;
- ademhaling;
- bloedsomloop.

Afnemen van de helm

Soms is er nog geen deskundige hulp aanwezig bij een slachtoffer van een verkeersongeval. Als het slachtoffer een integraalhelm draagt is het de vraag of de helm afgenomen moet worden. Doe dit alleen in uiterste noodzaak. Als het slachtoffer dreigt te stikken, ademhalingsmoeilijkheden heeft, braakt of bloed in de mond heeft, dan verkeert het slachtoffer in levensgevaar. In zo'n geval is er sprake van een noodsituatie. Als er op dat moment geen professionele hulp aanwezig is, dan is het beter zelf de helm af te nemen. Anders zou het slachtoffer immers ter plaatse overlijden. Als het slachtoffer geen hinder ondervindt van de helm, dan is het verstandig alleen voorzichtig het vizier omhoog te doen en een eventuele bril af te nemen. Het afnemen van de helm moet als volgt in z'n werk gaan:

- Het hoofd met de helm recht houden.
- Het vizier omhoog klappen en een eventuele bril afnemen.
- De helmsluiting losmaken.
- Eén persoon steunt met één hand de nek en met de andere hand de onderkaak, waardoor het hoofd in de neutrale stand blijft.
- De andere persoon neemt vervolgens voorzichtig de helm in een rechte lijn van het hoofd (de zijkanten van de helm zonodig iets uit elkaar trekken) waarbij het hoofd recht op het lichaam moet blijven.
- Met de halsspalkgreep wordt het hoofd vervolgens ondersteunt en in de neutrale stand gehouden. Met de ene hand wordt de nek ondersteund en met de andere hand de onderkaak; zodoende houdt men het hoofd in een neutrale stand.
- Het vaker beoefenen van deze handelingen verhoogt de overlevingskans van het slachtoffer. (Rautek + helm)

Rautekgreep

Het noodzakelijk verplaatsen van een slachtoffer om hem uit een gevaarlijke situatie te halen kan het beste met de Rautekgreep worden gedaan:

- Kniel achter het slachtoffer en schuif je handen onder de schouders door tot bij de oksels.
- Til het bovenlichaam omhoog en plaats je knie en bovenbeen onder tegen de rug zodat het slachtoffer tegen je aanleunt,
- Schuif nu je armen verder onder de oksels door en leg een onderarm van het slachtoffer horizontaal voor de borst.

- Plaats beide handen, met de duimen naar voren wijzend, over de horizontale arm en til het slachtoffer daaraan op. Sleep hem zo naar een veilige plaats en verleen daar eerste hulp.

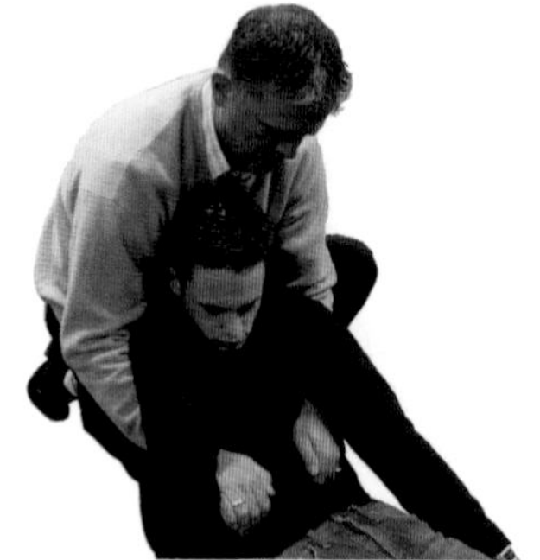
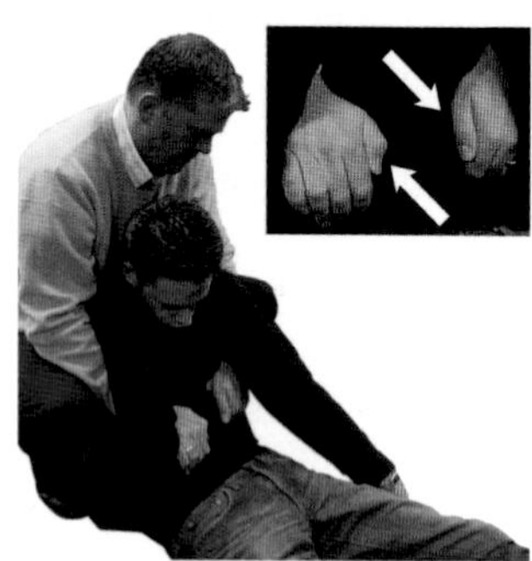

Uitwendige bloedingen

Om ernstige bloedingen te stoppen moet je:

- Het slachtoffer laten liggen, als het mogelijk is het bloedende lichaamsdeel omhoog brengen en druk op de wond uitoefenen.
  1. De bloeding stopt: Leg dan een snelverband of wondsnelverband aan.
  2. De bloeding stopt niet: Leg dan een wonddrukverband aan.
- Als je geen verbandmateriaal bij de hand hebt kun je ook druk uitoefenen met een handdoek, theedoek, een kledingstuk en zelfs met de blote hand.
- Laat het gewonde lichaamsdeel zoveel mogelijk rusten en wacht deskundige hulp af.

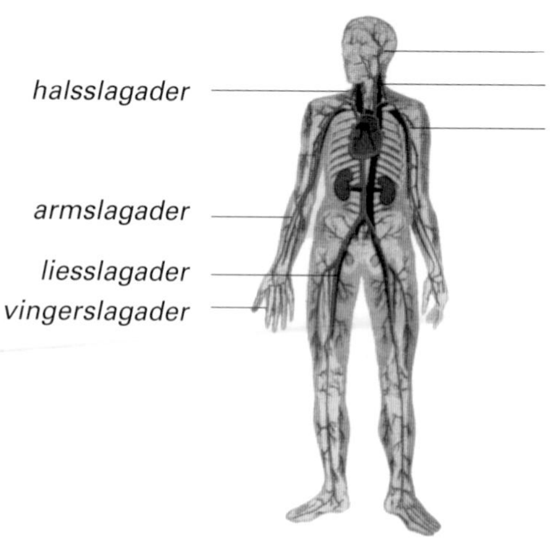

Stoornissen van bewustzijn

Om stoornissen van het bewustzijn op te heffen moet je:

- Het slachtoffer luid en duidelijk aanspreken en iemand met gesloten ogen vragen deze te openen.
- Als het slachtoffer hierop niet reageert moet je pijnprikkels toedienen door in de monnikskapspier te knijpen. Dit is de ruitvormige spier bovenop de rug. Kun je die spier niet bereiken, knijp dan in de oorlel of in de huid van de handrug.

Stoornissen van de ademhaling

Dit is wat je moet doen om stoornissen van de ademhaling op te heffen:

- De ademweg vrijmaken, zoals knellende kleding om de hals, spijsbrok of ander voorwerp in de mond of luchtpijp verwijderen.
- Leg het slachtoffer op de rug en breng het hoofd achterover met een hand op het voorhoofd.
- Pas de kinlift toe door de vingertoppen van de andere hand onder het benige gedeelte van de kin van het slachtoffer te plaatsen en de kin op te tillen.
- Knijp de neus van het slachtoffer dicht, adem zelf diep in en plaats je wijdgeopende mond sluitend over de mond van het slachtoffer en blaas je adem gedurende twee seconden in zijn mond.
- Kijk of de borstkas van het slachtoffer omhoog komt en als dat is gebeurd moet je je mond wegnemen en de neus loslaten en controleren of de borstkas weer inzakt.
- Adem zelf weer opnieuw in en herhaal het beademen tot er deskundige hulp is.

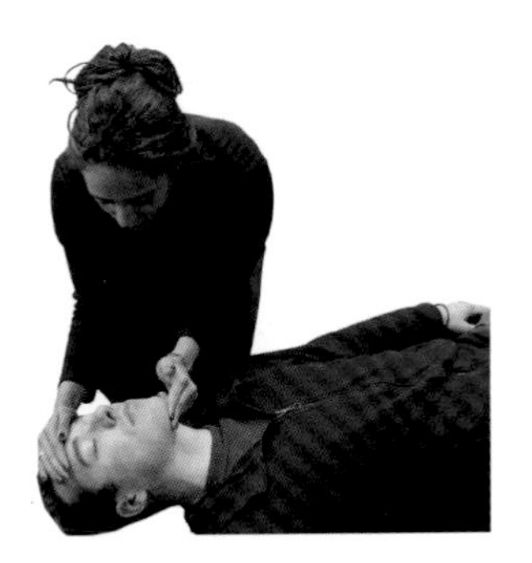

Voor het goed beademen is het nodig dat je dit twaalf keer per minuut doet. Gaat de borstkas van het slachtoffer tijdens het beademen niet omhoog en omlaag, of voel je weerstand bij het inblazen, dan moet je het hoofd van het slachtoffer verder achterover drukken.

Als het slachtoffer weer zelfstandig ademt, moet je hem in de stabiele zijligging brengen om de ademweg vrij te houden.

Stabiele zijligging

- Draai eerst het hoofd voorzichtig opzij.
- Kijk in de mond of er iets inzit (bijv. kauwgom) en verwijder dat.
- Maak knellende kledingstukken los.
- Kniel aan de linkerzijde van het slachtoffer.
- Leg de linkerarm gestrekt naar boven.
- Buig de rechterknie en plaats de rechtervoet in de knieholte van het linkerbeen.
- Leg de rechterarm over de borst.
- Trek aan de rechterknie en leg het slachtoffer op de zij. Daarbij moet het hoofd worden ondersteund en in de zogenaamde 'uitschenkhouding' worden geplaatst. Dat is zover mogelijk achterover en met de neus en mond naar de grond gericht.
- Leg indien mogelijk iets onder het achterhoofd, bijvoorbeeld een opgevouwen jas.

Bij verkeersongevallen moet eerst zorgvuldig worden nagegaan of het slachtoffer geen nekletsel heeft opgelopen.Is dat wel het geval, dan mag de stabiele zijligging **niet** worden toegepast!

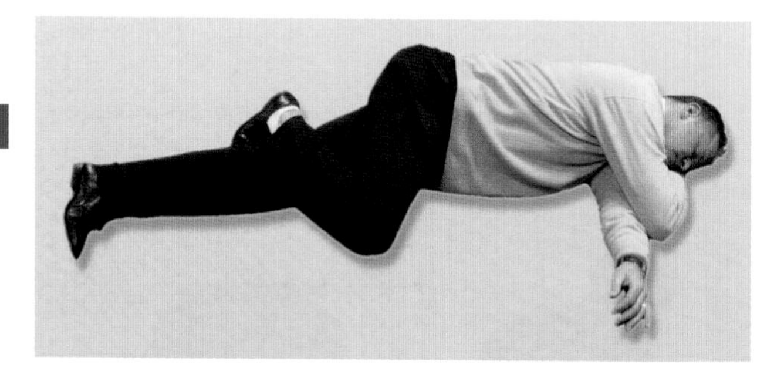

Borstcompressie

Enkele aanwijzingen voor het geven van borstcompressie zijn:

- De verhouding tussen borstcompressie en beademing is 30:2.
- Het zo snel mogelijk uitvoeren van borstcompressie heeft voorrang boven beademen.
- Als men niet in staat is te beademen of hier grote weerzin tegen heeft, dan kan de eerstehulpverlener volstaan met alleen het geven van borstcompressie.
- Als het slachtoffer bewusteloos en rustig ademend op de grond ligt moet je het slachtoffer laten liggen en onmiddellijk de hulpdiensten alarmeren door 112 te bellen.

Brandwonden

Om brandwonden te behandelen moet je:

- Als iemand in brand staat laat hem onmiddellijk gaan liggen en het vuur bij voorkeur met water doven. Bij gebrek aan water moet het slachtoffer in een wollen deken, jas of kleed worden gewikkeld. Gebruik geen synthetische stoffen of een isoleringsdeken. Als er niets is om het slachtoffer in te wikkelen, moet hij desnoods over de grond gerold worden.
- Brandwonden moeten onmiddellijk en tenminste tien minuten met lauw stromend water (±20 graden celcius) worden gekoeld, zodat de temperatuur van de huid daalt en daardoor de pijn minder wordt. Wordt een brandblusser gebruikt, dan moet je zo spuiten dat het blusmiddel niet in het gezicht van het slachtoffer komt.
- Kleding die vast zit aan de verbrande huid mag niet worden losgemaakt, omdat ontstane blaren daardoor opengaan. De kleding moet wel zoveel mogelijk worden natgehouden.
- Bij tweede en derde graads verbranding is er bijna altijd sprake van een open wond die steriel moet worden afgedekt. Tenslotte moet deskundige hulp de verdere behandeling geven.

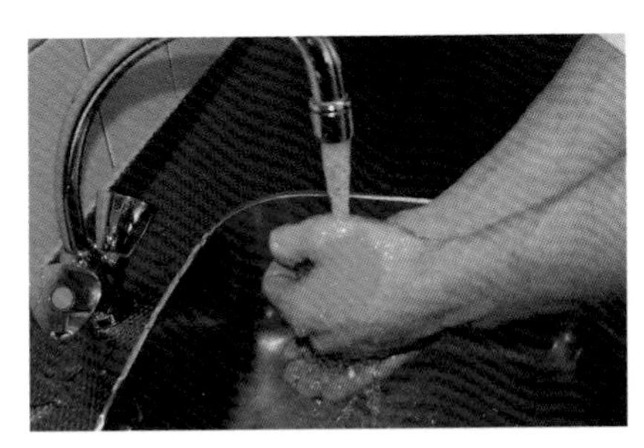

Botbreuken en ontwrichtingen

Om botbreuken en ontwrichtingen te behandelen moet je:

- Het gekwetste lichaamsdeel zo houden en ondersteunen dat het niet kan bewegen om te voorkomen dat botbreuken t.o.v. elkaar kunnen bewegen. Het slachtoffer dus alleen verplaatsen als deze zich bevindt op een gevaarlijke plaats.
- Het lichaamsdeel moet steun en rust krijgen in de positie waarin het slachtoffer is aangetroffen en bij open botbreuken moet de wond steriel worden afgedekt.

Na een verkeersongeval

Maak na een verkeersongeval de rijbaan schoon.

Vloeistoffen en olie worden meestal professioneel verwijderd door de brandweer of een gespecialiseerde bedrijf.

Niet iedere weggebruiker is een eerste hulpverlener, verkeersregelaar, organisator ter plekke of een brandweerman/vrouw. Maar bedenk wel dat als niemand iets doet, dat dit mensenlevens kost. Ook jij kunt ongewild verkeersslachtoffer worden.

8. Verkeersborden, signalen, tekens en aanwijzingen

SNELHEID A

A1

Maximumsnelheid.

A2

Einde maximum-snelheid.

A3

Maximumsnelheid op een elektronisch signaleringsbord. Op een elektronisch signaleringsbord kunnen ook andere verkeersborden worden weergegeven.

A4

Adviessnelheid.

A5

Einde adviessnelheid.

VOORRANG B

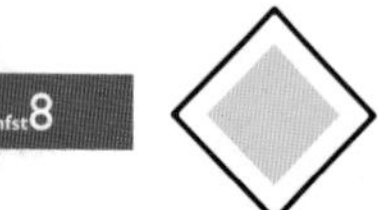

B1

Voorrangsweg.

B2

Einde voorrangsweg.

B3

Voorrangskruispunt.

B4

Voorrangskruispunt. Zijweg links.

B5

Voorrangskruispunt. Zijweg rechts.

B6

Verleen voorrang aan bestuurders op de kruisende weg.

B7

Stop; verleen voorrang aan bestuurders op de kruisende weg.

GESLOTENVERKLARING C

C1

Gesloten in beide richtingen voor voertuigen, ruiters en geleiders van rij- of trekdieren of vee.

C2

Eenrichtingsweg, in deze richting gesloten voor voertuigen, ruiters en geleiders van rij- of trekdieren of vee.

C3

Eenrichtingsweg.

C4

Eenrichtingsweg.

C5

Inrijden toegestaan.

C6

Gesloten voor motorvoertuigen op meer dan twee wielen.

C7

Gesloten voor vrachtauto's.

C7a

Gesloten voor autobussen

C7b

Gesloten voor autobussen en vrachtauto's.

C8

Gesloten voor motorvoertuigen die niet sneller kunnen of mogen rijden dan 25 km per uur.

C9

Gesloten voor ruiters, vee, wagens, motorvoertuigen die niet sneller kunnen of mogen rijden dan 25 km per uur en brommobielen alsmede fietsen, bromfietsen en gehandicaptenvoertuigen.

C10

Gesloten voor motorvoertuigen met aanhangwagen.

C11

Gesloten voor motorfietsen.

C12

Gesloten voor alle motorvoertuigen.

C13

Gesloten voor bromfietsen, snorfietsen en gehandicaptenvoertuigen met in werking zijnde motor.

C14

Gesloten voor fietsen en gehandicaptenvoertuigen zonder motor.

C15

Gesloten voor fietsen, bromfietsen en gehandicaptenvoertuigen.

C16

Gesloten voor voetgangers.

C17

Gesloten voor voertuigen en samenstellen van voertuigen die, met inbegrip van de lading, langer zijn dan op het bord is aangegeven.

C18

Gesloten voor voertuigen die, met inbegrip van de lading, breder zijn dan op het bord is aangegeven.

C19

Gesloten voor voertuigen die, met inbegrip van de lading, hoger zijn dan op het bord is aangegeven.

C20

Gesloten voor voertuigen waarvan de aslast hoger is dan op het bord is aangegeven.

C21

Gesloten voor voertuigen en samenstellen van voertuigen, waarvan de totaalmassa hoger is dan op het bord is aangegeven.

C22

Gesloten voor voertuigen met bepaalde gevaarlijke stoffen.

C22a

Gesloten voor vrachtauto's die niet voldoen aan de eisen, genoemd in artikel 86d.

C22b

Einde geslotenverklaring voor vrachtauto's die niet voldoen aan de eisen, genoemd in artikel 86d.

C23-01

Aan de rijbaan is een spitsstrook toegevoegd die geopend is.

C23-02

De spitsstrook moet worden vrijgemaakt. Wie de spitsstrook gebruikt moet invoegen.

C23-03

Het einde van de spitsstrook. De rijstrook mag niet worden gebruikt.

RIJRICHTING D

D1

Rotonde; verplichte rijrichting.

D2

Gebod voor alle bestuurders het bord voorbij te gaan aan de zijde die de pijl aangeeft.

D3

Bord mag aan beide zijden worden voorbijgegaan.

D4

Gebod tot het volgen van de rijrichting die op het bord is aangegeven.

D5

Gebod tot het volgen van de rijrichting die op het bord is aangegeven.

D6

Gebod tot het volgen van één van de rijrichtingen die op het bord zijn aangegeven.

D7

Gebod tot het volgen van één van de rijrichtingen die op het bord zijn aangegeven.

PARKEREN EN STILSTAAN E

E1

Parkeerverbod. (Dit verbod geldt voor de zijde van de weg waar het bord is geplaatst, uitgezonderd voor de tot parkeren bestemde weggedeelten).

E2

Verbod stil te staan. (Dit verbod geldt voor de zijde van de weg waar het bord is geplaatst, uitgezonderd voor de tot parkeren bestemde weggedeelten).

E3

Verbod fietsen en bromfietsen te plaatsen.

E4

Parkeergelegenheid.

E5

Taxistandplaats.

E6

Gehandicaptenparkeerplaats.

E7

Gelegenheid bestemd voor het onmiddellijk laden en lossen van goederen.

E8

Parkeergelegenheid alleen bestemd voor de voertuigcategorie of groep voertuigen die op het bord is aangegeven.

E9

Parkeergelegenheid alleen bestemd voor vergunninghouders.

E10

Parkeerschijfzone.

E11

Einde parkeerschijfzone.

E12

Parkeergelegenheid t.b.v. overstappers op het openbaar vervoer.

E13

Parkeergelegenheid ten behoeve van carpoolers.

OVERIGE GEBODEN EN VERBODEN F

F1
Verbod voor motorvoertuigen om elkaar onderling in te halen.

F2
Einde verbod voor motorvoertuigen om elkaar onderling in te halen.

F3
Verbod voor vrachtauto's om motorvoertuigen in te halen.

F4
Einde verbod voor vrachtauto's om motorvoertuigen in te halen.

F5
Verbod voor bestuurders door te gaan bij nadering van verkeer uit tegengestelde richting.

F6
Bestuurders uit tegengestelde richting moeten verkeer dat van deze richting nadert voor laten gaan.

F7
Keerverbod.

F8
Einde van alle door verkeersborden aangegeven verboden.

F9
Einde van alle op een elektronisch signaleringsbord aangegeven verboden.

F10
Stop. In het bord kan worden aangegeven door wie of waarom het bord wordt toegepast.

VERKEERSREGELS G

G1
Autosnelweg.

G2
Einde autosnelweg.

G3
Autoweg.

G4
Einde autoweg.

G5
Erf.

G6
Einde erf.

hfst 8

G7
Voetpad.

G8
Einde voetpad.

G9
Ruiterpad.

G10
Einde ruiterpad.

G11
Verplicht fietspad.

G12
Einde verplicht fietspad.

G12a
Fiets-/bromfietspad.

G12b
Einde fiets-/bromfietspad.

G13
Onverplicht fietspad.

G14
Einde onverplicht fietspad.

BEBOUWDE KOM H

H1
Bebouwde kom.

H2
Einde bebouwde kom.

WAARSCHUWING J

J1
Slecht wegdek.

J2
Bocht naar rechts.

J3
Bocht naar links.

J4
S-bocht(en), eerst naar rechts.

J5
S-bocht(en), eerst naar links.

J6
Steile helling.

J7
Gevaarlijke daling.

J8
Gevaarlijk kruispunt.

J9
Rotonde.

J10
Overweg met overwegbomen.

J11
Overweg zonder overwegbomen.

J12
Overweg met enkel spoor.

J13
Overweg met twee of meer sporen.

J14
Tram(kruising).

J15
Beweegbare brug.

J16
Werk in uitvoering.

J17
Rijbaan versmalling.

J18
Rijbaan versmalling rechts.

J19
Rijbaan versmalling links.

J20
Slipgevaar.

J21
Kinderen.

J22
Voetgangers-oversteekplaats.

J23
Voetgangers.

J24
Fietsers en bromfietsers.

J25
Losliggende stenen.

J26
Kade of rivieroever.

J27
Groot wild.

J28
Vee.

J29
Tegenliggers.

J30
Laagvliegende vliegtuigen.

J31
Zijwind.

J32
Verkeerslichten.

J33
File.

J34
Ongeval.

J35
Slecht zicht door sneeuw, regen of mist.

J36
IJzel of sneeuw.

J37
Gevaar (de aard van het gevaar is aangegeven op het onderbord).

J38
Drempel(s).

J39
Beweegbare paal.

BEWEGWIJZERING K

K1
Lage beslissingswegwijzer langs autosnelweg voor de doorgaande richting, met interlokale doelen en routenummer autosnelweg.

K2
Voorwegwijzer langs autosnelweg voor de afgaande richting, met afstandaanduiding, interlokale doelen (bovenste doel = afritnaam), verwijzing naar vliegveld/luchthaven en routenummer niet-autosnelweg.

K3
Beslissingswegwijzer langs autosnelweg voor de afgaande richting naar een verzorgingsplaats, met de naam van de parkeerplaats en symbolen die de aard van de voorzieningen aangeven.

K4
Hoge beslissingswegwijzer langs autosnelweg met rijstrookpaneel voor de doorgaande richting en aftakkingspaneel voor de afgaande richting, met interlokale doelen, routenummers autosnelwegen en Europese hoofdroutes.

K5
Voorwegwijzers langs niet-autosnelweg, met interlokale doelen, routenummers, viaductsymbool en aanduiding industrieterrein.

K6
Beslissingswegwijzer langs niet-autosnelweg met interlokale doelen en routenummer niet-autosnelweg.

K7
Wegwijzer voor fietsers en bromfietsers (handwijzer), met lokaal doel, interlokaal doel, stedelijk fietsroutenummer (boven), en met interlokale doelen en interlokaal fietsroutenummer (onder).

K8
Wegwijzer voor fietsers en bromfietsers (stapelbord), met interlokale doelen en een via een alternatieve route te bereiken doel (cursief).

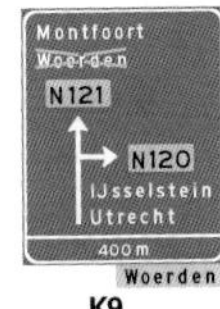

K9
Omleiding. Maatregel op voorwegwijzer langs niet-autosnelweg.

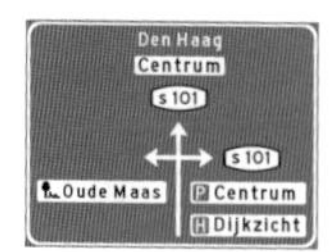

K10

Voorwegwijzer binnen de bebouwde kom met interlokaal doel, lokaal doel, een dagrecreatiecentrum, objecten en stadsroutenummers.

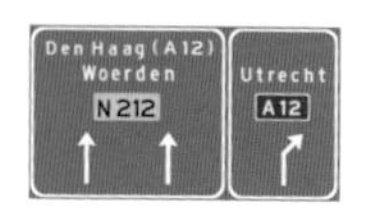

K11

Voorsorteren op niet-autosnelweg. Bord met interlokale doelen, routenummers en verwijzing naar autosnelweg.

K12

Wijkwegwijzer binnen de bebouwde kom, met wijknamen (in verkeersgebieden).

K13

Wijkwegwijzer binnen de bebouwde kom, met wijknummers (in verkeersgebieden).

K14

Route voor het vervoer van bepaalde gevaarlijke stoffen.

BEWEGWIJZERING AUTOSNELWEGEN NIEUW

Doelenbord.

Besliswegwijzer.

Voorwegwijzer.

Aankondiging afrit.

Aankondiging knooppunt.

hfst8

INFORMATIE L

L1
Hoogte onderdoorgang.

L2
Voetgangersoversteekplaats.

L3a
Bushalte / tramhalte.

L3b
Bushalte.

L3c
Tramhalte.

L4
Voorsorteren.

L5
Einde rijstrook.

L6
Splitsing.

L7
Aantal doorgaande rijstroken.

L8
Doodlopende weg.

L9
Vooraanduiding doodlopende weg.

L10
Vooraanduiding verkeersmaatregel voor de aangegeven richting.

L11

Verkeersbord geldt alleen voor de aangegeven rijstrook/ rijstroken.

L12

Verkeersbord geldt alleen voor de aangegeven rijstrook.

L13

Verkeerstunnel.

L14

Vluchthaven.

L15

Vluchthaven voorzien van een noodtelefoon en brandblusapparaat

L16

Noodtelefoon.

L17

Brandblusapparaat.

L18

Noodtelefoon en brandblusapparaat.

L19

Dichtstbijzijnde uitgang of twee dichtstbijzijnde uitgangen in de op het bord aangegeven richting en afstand.

ONDERBORDEN

Uitgezonderd voor fietsen en gehandicaptenvoertuigen zonder motor.

Uitgezonderd voor bromfietsen en gehandicaptenvoertuigen met in werking zijnde motor.

Uitgezonderd voor fietsen, bromfietsen en gehandicaptenvoertuigen.

Uitgezonderd voor motorvoertuigen die niet sneller kunnen of mogen rijden dan 25 km per uur.

Geldt uitsluitend voor motorfietsen.

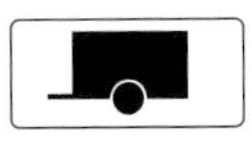

Geldt uitsluitend voor motorvoertuigen met aanhangwagen.

Geldt uitsluitend voor vrachtauto's.

Geldt uitsluitend voor autobussen.

Geldt uitsluitend voor motorvoertuigen op meer dan twee wielen.

1,5 km

Deze onderborden geven aan dat het erboven geplaatste bord over de aangegeven afstand in werking treedt.

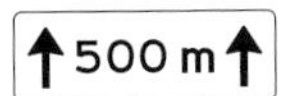

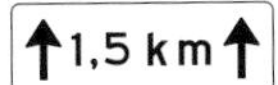

Deze onderborden geven aan dat de erboven geplaatste borden gelden over de aangegeven wegvaklengte.

Onderborden bij bord E1 en E2. De pijlen geven aan in welke richting het erboven geplaatste verbod geldt.

Aanduiding kruisend verkeer in twee richtingen.

Aanduiding kruisend ruiterpad in twee richtingen.

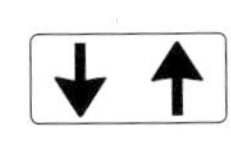

Onderbord twee richtingen bereden fietspad.

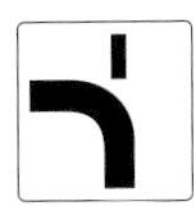

Onderborden bij de borden B1, B3, B4 of B5. Afbuigende voorrang. De dikke zwarte gebogen lijn geeft het verloop van de voorrangsweg of het voorrangskruispunt aan. De dunne rechte lijnen geven de zijwegen aan.

Onderbord bij bord C2 op afritten van autosnelwegen in tegengestelde richting om spookrijders alsnog te wijzen op hun vergissing.

Onderbord bij de borden F1 en F3 om aan te geven dat bestuurders van motorvoertuigen andere bestuurders van motorvoertuigen die niet sneller kunnen of mogen rijden dan 25 km per uur wel mogen inhalen.

1 - 15

16 - 31

ma t/m vr
7⁰⁰ - 21³⁰ h

alleen op
maandag

7-14 h

Onderborden bij de borden E1 en E2 om aan te geven welke periode, op welke dagen en/of uren het erboven geplaatste verbod geldt.

uitgezonderd
lijnbussen

Uitgezonderd voor motorvoertuigen die gebruikt worden voor het verrichten van openbaar vervoer volgens de wet personenvervoer.

uitgezonderd
bestemmings-
verkeer

Dit onderbord geeft aan dat de erboven geplaatste geslotenverklaring niet geldt voor bestuurders die als reisdoel één of meer percelen hebben die zijn gelegen aan de betreffende weg of in de directe nabijheid van die weg en bestuurders van een lijnbus.

drempels

maaien

bomen
snoeien

stoom-
vorming

strepen
ontbreken

spoor-
vorming

zachte berm

Onderborden bij waarschuwingsbord J37.

alleen in
de vakken

Onderbord bij bord E4 om aan te geven dat uitsluitend in vakken mag worden geparkeerd.

STOP
100 m

Onderbord bij bord B7 met afstandaanduiding als vooraanduiding dat je voor het kruispunt moet stoppen. Buiten de bebouwde kom wordt bord B6 met onderbord als vooraanduiding geplaatst.

B C D E

Onderborden bij bord C22 voor tunnels. De Letter geeft de categorie van de tunnel aan. Afhankelijk van de categorie is het vervoer van bepaalde gevaarlijke stoffen door de tunnel verboden.
Als het een categorie A tunnel betreft, wordt de A niet aangegeven.

hfst 8

ZONEBORDEN

Als boven een verkeersbord het woord 'zone' is aangebracht en een aanduiding van het gebied van de zone is toegevoegd, geldt het verkeersbord in het aldus aangeduide gebied.
Als boven een verkeersbord uitsluitend het woord 'zone' is aangebracht, dus zonder de toevoeging van een gebied, geldt het verkeersbord uitsluitend in een gebied dat wordt begrenst door het verkeersbord en één of meer in samenhang met dat verkeersbord geplaatste borden, waarmee het einde van de zone wordt aangeduid.

Zonebord maximumsnelheid.

Zonebord gesloten voor vrachtauto's.

Zonebord parkeerverbod.

Zonebord parkeergelegenheid alleen bestemd voor vergunninghouders.

Zonebord voetpad.

Parkeerschijfzone.

Einde zone maximumsnelheid.

Einde zone gesloten voor vrachtauto's.

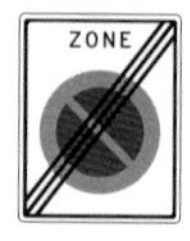

Einde zone parkeerverbod.

Einde zone pakeergelegenheid alleen bestemd voor vergunninghouders.

Einde zone voetpad.

Einde parkeerschijfzone

OVERIGE BORDEN

Aanduiding dat het oversteken van voetgangers en kinderen wordt geregeld door aanwijzingen van verkeersbrigadiers. U moet deze aanwijzingen opvolgen.

Matig je snelheid.

Aanduiding voetgangers-oversteekplaats (zebrapad) om de hoek.

Aanduiding waterwingebied.

Aanduiding einde waterwingebied.

Aanduiding verkeersdrempels.

Drukknopinstallatie voetgangerslichten.

Drukknopinstallatie voetgangerslichten.

Drukknopinstallatie fietslichten.

Aanduiding voor bromfietsers naar de rijbaan.

Aanduiding voor bromfietsers naar het fiets-/bromfietspad.

Aanduiding dat de verkeerslichten voor (brom)fietsers op dit kruispunt tegelijk op groen gaan.

Aanduiding dat het gele en rode verkeerslicht niet geldt voor rechtsafslaande fietsers, snorfietsers en bestuurders van gehandicaptenvoertuigen.

Aanduiding dat het gele en rode verkeerslicht niet geldt voor rechtsafslaande (brom) fietsers en bestuurders van gehandicaptenvoertuigen.

Hectometerbord.

Routenummer van een hoofdverkeersweg, die geen autosnelweg is. Het getal dient als voorbeeld.

Schrikhekken. De rode pijlen geven de rijrichting aan.

Bochtschilden. Deze worden geplaatst bij gevaarlijke of onoverzichtelijke bochten.

Bochtpijl. Gevaarlijke of onoverzichtelijke bocht.

Tijdelijke rijstrookindeling.

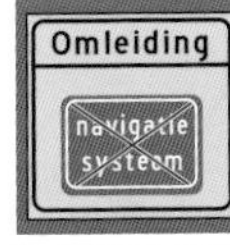

Aanduiding omleiding navigatiesysteem uit.

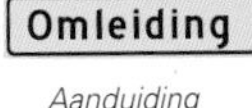

Route doorgaand verkeer als je niet ter plaatse moet zijn.

Aanduiding omleiding.

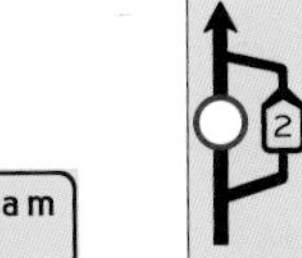

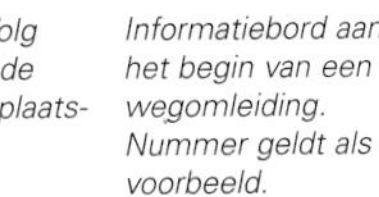

Omleiding. Volg route 2 voor de aangegeven plaatsnaam.

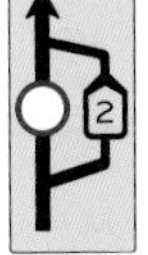

Informatiebord aan het begin van een wegomleiding. Nummer geldt als voorbeeld.

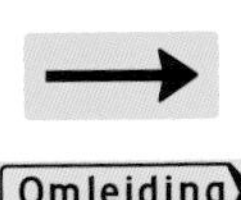

Omleidingsroute.

Richtingspijl met het nummer van de omleidingsroute zoals aangegeven op het voor de omleiding geplaatst informatiebord. Deze nummers gelden als voorbeeld.

Einde van de omleidingsroute.

Route doorgaand verkeer fietsers.

Route doorgaand verkeer (brom)fietsers oversteken.

Sportterrein rechtsaf.

Camping rechtdoor.

Tankstation rechtsaf.

Aanduiding van een plaats met een plattegrond van de omgeving, stad of dorp op een afstand van 400 m.

Aanduiding van een plaats met een plattegrond van de omgeving, stad of dorp.

Restaurant rechtsaf.

AANWIJZINGEN

1
Algemeen stopteken.

2
Stopteken voor het verkeer, dat de verkeersregelaar van voren nadert.

3
Stopteken voor het verkeer, dat de verkeersregelaar van achteren nadert.

4
Stopteken zowel voor het verkeer dat de verkeersregelaar van voren, als voor het verkeer dat hem van achteren nadert.

5
Stopteken voor het verkeer dat de verkeersregelaar van rechts nadert.

6
Stopteken voor het verkeer in de vrije richtingen. Opletten voor het verkeer in de stopgezette richtingen. Kruispunt vrijmaken.

7
Teken tot snelheid verminderen.

8
Stopteken door verkeersbrigadier met toepassing van bord F10.

hfst 8

F10

Stop. In het bord kan worden aangegeven door wie of waarom het bord wordt toegepast.

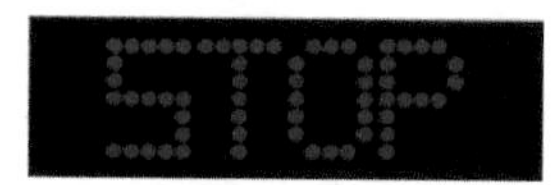

Verlicht stopteken aan de achterzijde van een voertuig van bevoegde ambtenaren zoals politie en douane.

Verlicht stopteken in spiegelschrift aan de voorzijde van een voertuig van bevoegde ambtenaren. Kijkend in je spiegels zie je dan de normale leesbare tekst "stop".

Je moet stoppen als dit wordt aangegeven met een rode lamp of met een lichtbak met de tekst STOP.

9. Gedrag bij borden

Krijgt voorrang van bestuurders die van links of rechts naderen.

Moet voorrang verlenen aan bestuurders die van rechts komen.

Moet voorrang verlenen aan bestuurders die van links en van rechts komen.

Bromfietser mag hier niet sneller rijden dan 30 km per uur. Snorfietser mag hier niet sneller rijden dan 25 km per uur.

Mag deze weg niet inrijden, behalve als er een uitzondering is.

Moet voorrang verlenen aan bestuurders die van links en rechts komen en is verplicht te stoppen.

Mag hier niet inrijden.
Wel met de bromfiets aan de hand inlopen. Echter je mag de bromfiets daar niet op de weg plaatsen.

Mag deze weg alleen van deze zijde inrijden. Keren is niet toegestaan.

Moet hier verplicht rechtsaf omdat het een éénrichtingsweg is.

Mag met aanhangwagen hier WEL inrijden.

Mag hier niet inrijden. Dit bord geldt ook voor snorfietsers.

Mag hier niet inrijden.

Mag hier wel inrijden.
Alleen motorfietsen niet.

Een bromfietser mag hier wel inrijden. Een snorfietser mag hier niet inrijden.

Als de bromfietser de rijbaan moet volgen mag hij bij deze rotonde ook de linker rijstrook gebruiken.

Moet hier het bord rechts voorbij-gaan.

Mag het bord aan beide zijden voorbijgaan.

Moet één van de rijrichtingen volgen die de pijl(en) aangeeft of aangeven.

Mag hier zijn snor/bromfiets niet plaatsen.

Mag hier niet keren.

Mag hier doorrijden bij nadering van bestuurders uit tegengestelde richting.

Moet hier stoppen bij nadering van verkeer uit tegengestelde richting.

Mag hier niet inrijden. Wel met snor/bromfiets aan de hand lopen.

De bromfietser moet hier rijden.

Hier moet de snorfietser rijden en de bromfietser mag dat niet.

Bromfietser mag hier niet rijden. Snorfietser mag hier rijden met een elektrische motor of een uitgeschakelde verbrandingsmotor.

Mag hier inrijden en op de rijbaan max. 45 km per uur rijden.

Mag hier inrijden en op de rijbaan max. 45 km per uur rijden.

10. Trefwoordenlijst

hfst 10

11. Examens

Het examen voor rijbewijs AM

Voor het rijbewijs AM moet je een praktijk- en theorie-examen afleggen. Het examen is ingevoerd om de veiligheid op de weg te bevorderen en het aantal ongelukken voor de betrokken leeftijdcategorie te reduceren. Dus word jij binnenkort 16 jaar en wil je bromfiets of scooter gaan rijden, dan is het verstandig om snel je theorie-examen te halen. Als je daarvoor geslaagd bent kan je het praktijkexamen doen.

Theorie

Voordat je begint met de praktijklessen, zul je theorie-examen moeten doen. Je mag met 15,5 jaar al opgaan voor het theorie-examen voor brom- en snorfietsen.
Het behaalde theoriecertificaat is 18 maanden geldig.
Dit boekje is een uitstekende voorbereiding op het theorie-examen. Bestudeer eerst goed de theorie voordat je examenvragen gaat oefenen. Oefen je graag op je computer vraag dan bij je rijschool naar de CD's en Online-examens van Uitgeverij Smit.

De praktijklessen

Om je voor te bereiden op het praktijkexamen heb je een aantal praktijklessen nodig. Hoeveel je er precies nodig hebt is per persoon verschillend. Het is onder andere afhankelijk van je rijvaardigheid, kennis over de bromfiets, leersnelheid en verkeersinzicht. De overheid gaat er bij het rijbewijs AM vanuit dat gemiddeld 4 rijlessen voldoende zouden moeten zijn voor de bromfiets (AM2). Voor de brommobiel (AM4) wordt uitgegaan van 8 praktijklessen.

Meer informatie?

Naast dit theorieboek voor het bromfietsrijbewijs heeft uitgeverij Smit nog meer boeken in het assortiment. Wij leveren o.a. ook de theorieboeken voor het rijbewijs A: motorfiets, rijbewijs B: personenauto en de daarbij behorende oefenboeken, cd-roms en online-oefenexamens. Deze zijn met uiterste zorgvuldigheid naar de nieuwste CBR-eisen vervaardigd en voorzien van vele duidelijke animaties.

Veel Succes,

Examen 1

De antwoorden en motivaties van examen 1 vind je op pagina 212.

1. De auto rijdt 25 km per uur; mag je de auto nu inhalen?

- [ ] Ja.
- [ ] Nee.

2. Bij welk bord moet je voorrang verlenen?

- [ ] A. Bij bord A.
- [ ] B. Bij bord B.

3. Je wilt bij het verlaten van de rotonde deze rijbaan inrijden; mag dat?

☐ Ja.

☐ Nee.

4. Deze tankdop past niet goed; mag je zo gaan rijden?

☐ Ja.

☐ Nee.

5. Wat is de maximum cilinderinhoud voor een bromfiets met verbrandingsmotor?

.... cm^3.

6. Je wilt rechtsaf; moet je de fietser voor laten gaan?

- [ ] Ja.
- [ ] Nee.

7. Wat is hier de juiste volgorde van voor laten gaan?

- [ ] A. Vrachtauto, auto, snorfiets.
- [ ] B. Auto, vrachtauto, snorfiets.
- [ ] C. Snorfiets, vrachtauto, auto.

hfst 11

8. Je plaatst de bromfiets hier; mag dat?

- [ ] Ja.
- [ ] Nee.

9. Je wilt rechtsaf; moet je de voetganger voor laten gaan?

- [ ] Ja.
- [ ] Nee.

10. Waaraan kun je een brommobiel herkennen?

- [ ] A. De kleur.
- [ ] B. Een kentekenplaat en een rond rood/wit plaatje met 45, op de achterzijde.
- [ ] C. Een gele plaat met daarop het woord 'brommobiel'.

11. Je doet balansoefeningen op de openbare weg; mag dat?

- [ ] Ja.
- [ ] Nee.

12. Wat is hier de juiste volgorde van voor laten gaan?

- A. Vrachtauto, auto, bromfiets.
- B. Auto, vrachtauto, bromfiets.
- C. Bromfiets, vrachtauto, auto.

13. Rijd je zo op de juiste plaats van de rijbaan?

- Ja.
- Nee.

hfst 11

14. Mogen fietsers bij dit bord doorrijden?

- Ja.
- Nee.

15. Je wilt een brief posten; mag je de bromfiets zo laten staan?

☐ Ja.

☐ Nee.

16. Wat is de maximumsnelheid voor bromfietsers binnen de bebouwde kom op de rijbaan?

.... km per uur.

17. Je wilt rechtsaf; moet je de voetganger voor laten gaan?

☐ Ja.

☐ Nee.

18. Mogen bromfietsers bij dit bord doorrijden?

- [ ] Ja.
- [ ] Nee.

19. Je maakt hier gebruik van dit fietspad; mag dat?

- [ ] Ja.
- [ ] Nee.

20. Wat is de maximum toegestane snelheid voor een snorfiets?

.... km per uur.

21. Je wilt hier inrijden; mag dat?

☐ Ja.

☐ Nee.

22. Op welke afstand vanaf dit bord kun je een overweg verwachten?

.... m.

23. Je wilt rechtdoor; moet je de auto voor laten gaan?

☐ Ja.

☐ Nee.

24. Rijd je zo op de juiste plaats van de weg?

- [ ] Ja.
- [ ] Nee.

25. Wat mag hier eerst?

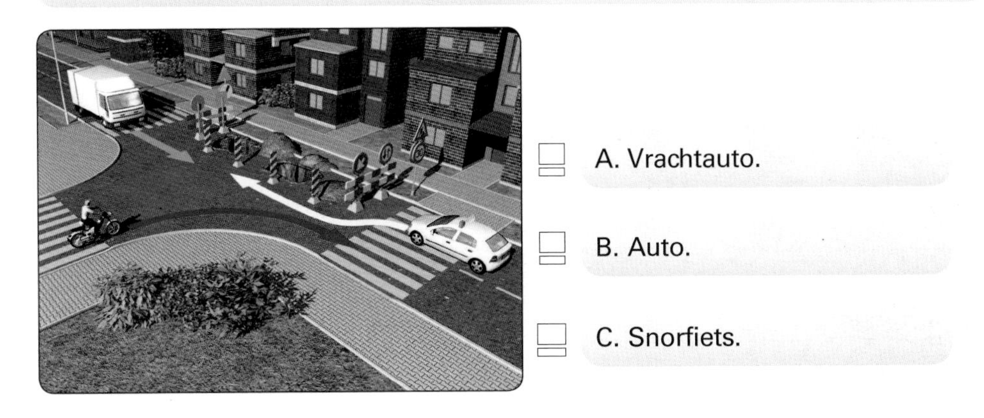

- [ ] A. Vrachtauto.
- [ ] B. Auto.
- [ ] C. Snorfiets.

26. Hoeveel remmen gebruik je tijdens het uitvoeren van een noodstop?

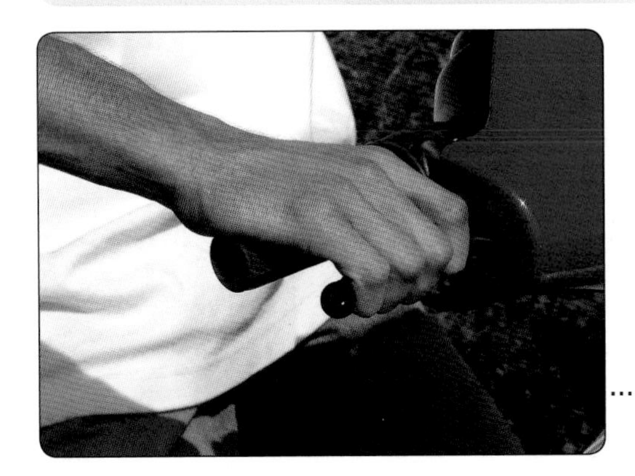

.... remmen.

27. Je rijdt hier rechtdoor; mag dat?

- [ ] Ja.
- [ ] Nee.

28. Wat is hier de juiste volgorde van voor laten gaan?

- [ ] A. Vrachtauto, auto, snorfiets.
- [ ] B. Auto, vrachtauto, snorfiets.
- [ ] C. Snorfiets en vrachtauto, auto.

29. Mag je met een bromfiets aan de hand dit pad gebruiken?

- [ ] Ja.
- [ ] Nee.

30. Je rijdt hier rechtdoor; mag dat?

- [ ] Ja.
- [ ] Nee.

31. Is de categorie AM ook ongeldig als het rijbewijs is ingevorderd?

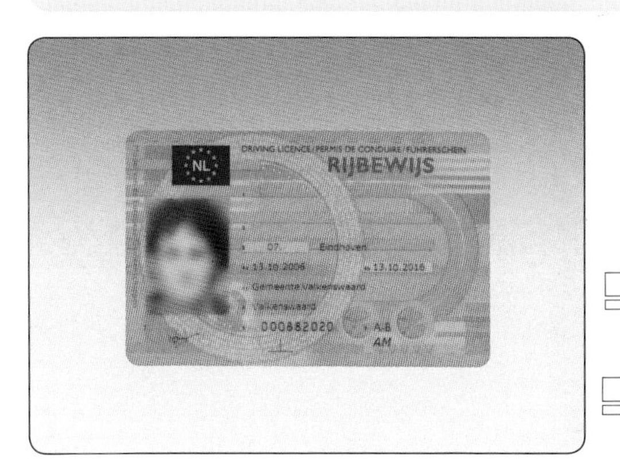

- [ ] Ja.
- [ ] Nee.

32. Welk stopteken wordt door deze verkeersregelaar gegeven?

- [ ] A. Een stopteken voor het verkeer dat van voren nadert.
- [ ] B. Een algemeen stopteken.
- [ ] C. Een stopteken voor het verkeer dat van achteren nadert.

33. Je wilt rechtdoor; moet je de fietser voor laten gaan?

☐ Ja.

☐ Nee.

34. Vanaf welke leeftijd mag je met een bromfiets deelnemen aan het verkeer?

.... jaar.

afst 11

35. Je wilt rechtdoor; moet je de afbuigende tram voor laten gaan?

☐ Ja.

☐ Nee.

36. Mag je bij dit bord rechtdoor?

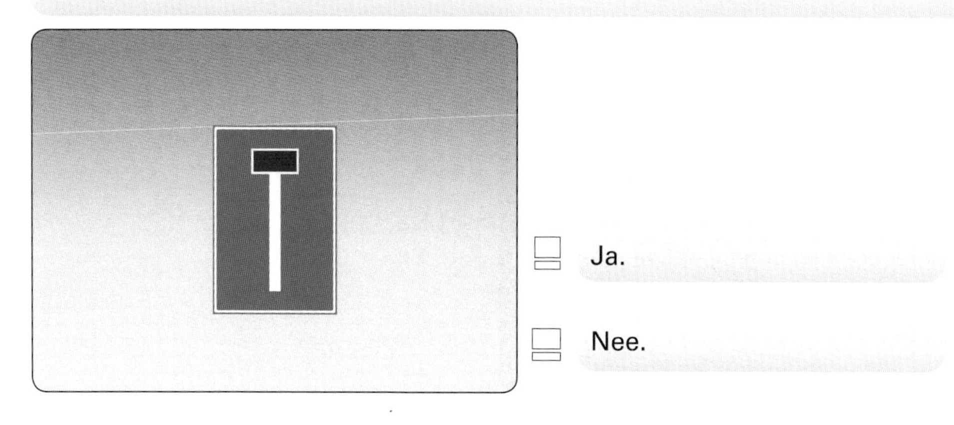

☐ Ja.

☐ Nee.

37. Mag je hier blijven rijden?

☐ Ja.

☐ Nee.

38. Welke van deze borden betekent: verplicht fietspad?

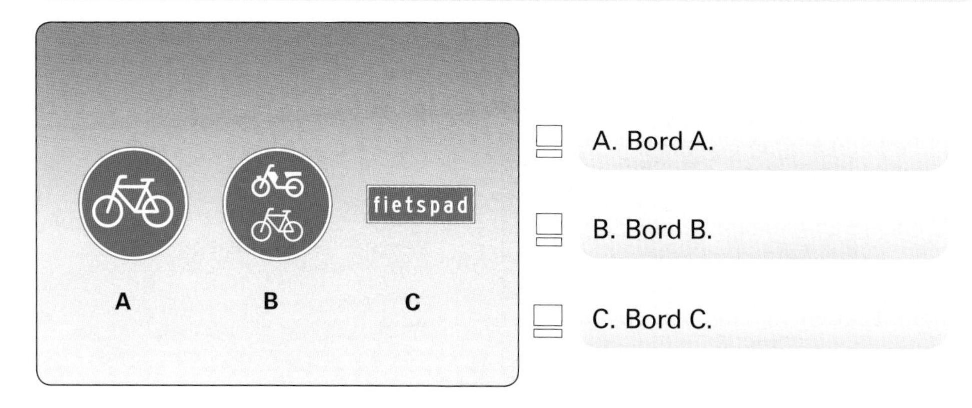

☐ A. Bord A.

☐ B. Bord B.

☐ C. Bord C.

39. Je plaatst de bromfiets hier; mag dat?

- [ ] Ja.
- [ ] Nee.

40. Je wilt zo gaan rijden; mag dat?

- [ ] Ja.
- [ ] Nee.

41. Wat is de betekenis van dit bord?

- [ ] A. Eénrichtingsweg.
- [ ] B. Verplichte rijrichting.

42. Bij welk bord heb je te maken met een gevaarlijk kruispunt?

- [ ] A. Bord A.
- [ ] B. Bord B.

43. Kan een brommobiel ook voorzien zijn van een open carrosserie?

- [ ] Ja.
- [ ] Nee.

hfst 1

44. Wat is hier de juiste volgorde van voor laten gaan?

- [ ] A. Auto, fiets, snorfiets.
- [ ] B. Fiets, snorfiets, auto.
- [ ] C. Snorfiets, auto, fiets.

45. Je wilt zo blijven rijden; mag dat?

- ☐ Ja.
- ☐ Nee.

46. Wat betekent dit bord?

- ☐ A. Gesloten verklaring voor fietsers.
- ☐ B. Gesloten verklaring voor fietsers en bromfietsers.
- ☐ C. Gesloten verklaring voor fietsers en gehandicaptenvoertuigen zonder motor.

11

47. Je plaatst de bromfiets tussen de vakken in zodat er plaats genoeg overblijft voor bijvoorbeeld een auto; mag dat?

- ☐ Ja.
- ☐ Nee.

48. Je rijdt hier rechtdoor; mag dat?

- [ ] Ja.
- [ ] Nee.

49. Je wilt hier blijven rijden; mag dat?

- [ ] Ja.
- [ ] Nee.

50. Het verkeerslicht springt nu op geel; mag je nog doorrijden?

- [ ] Ja.
- [ ] Nee.

Examen 2

De antwoorden en motivaties van examen 2 vind je op pagina 216.

1. Er nadert een auto uit tegengestelde richting; mag je zo blijven rijden?

- [ ] Ja.
- [ ] Nee.

2. Wat is hier de juiste volgorde van voor laten gaan?

- [ ] A. Vrachtauto, auto en snorfiets.
- [ ] B. Snorfiets en auto, vrachtauto.
- [ ] C. Snorfiets, vrachtauto, auto.

3. Je wilt rechtdoor; moet je de auto voor laten gaan?

☐ Ja.

☐ Nee.

4. Wordt deze kentekenplaat op een snorfiets gemonteerd?

☐ Ja.

☐ Nee.

5. Je moet gebruik gaan maken van de rijbaan; mag je nu 50 km per uur gaan rijden?

☐ Ja.

☐ Nee.

6. Voor een bestuurder van een brommobiel is in een erf de maximumsnelheid:

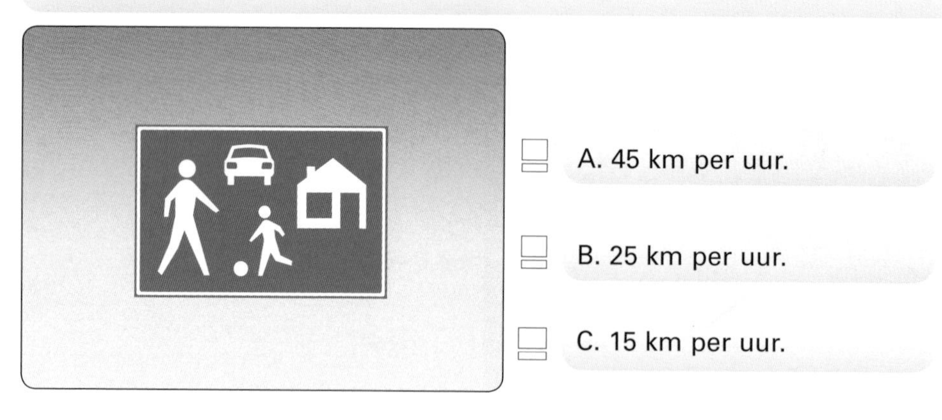

- [ ] A. 45 km per uur.
- [ ] B. 25 km per uur.
- [ ] C. 15 km per uur.

7. Mag je de uitvaartstoet van motorvoertuigen met herkenningstekens doorsnijden?

- [ ] Ja.
- [ ] Nee.

hfst 11

8. Welk bord betekent: voorrangsweg?

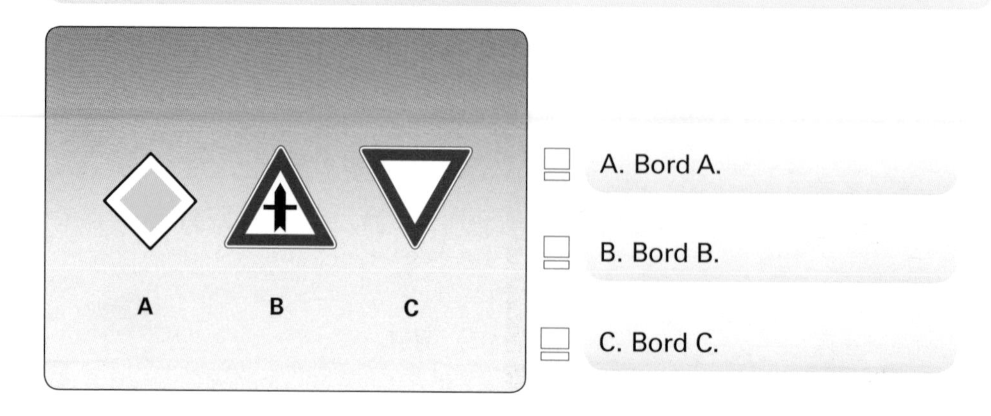

- [ ] A. Bord A.
- [ ] B. Bord B.
- [ ] C. Bord C.

9. Je rijdt hier rechtdoor; mag dat?

- ☐ Ja.
- ☐ Nee.

10. Wie gaat hier eerst?

- ☐ A. Fiets 1.
- ☐ B. Fiets 2.
- ☐ C. Auto.

hfst 11

11. De auto rijdt 40 km per uur; mag je zo blijven rijden?

- ☐ Ja.
- ☐ Nee.

12. Wat is de maximumsnelheid voor bromfietsers buiten de bebouwde kom op de rijbaan?

.... km per uur.

13. Je hebt een jaar je rijbewijs en je rijdt met 0,2 ‰ alcohol in je bloed. Is dat een misdrijf?

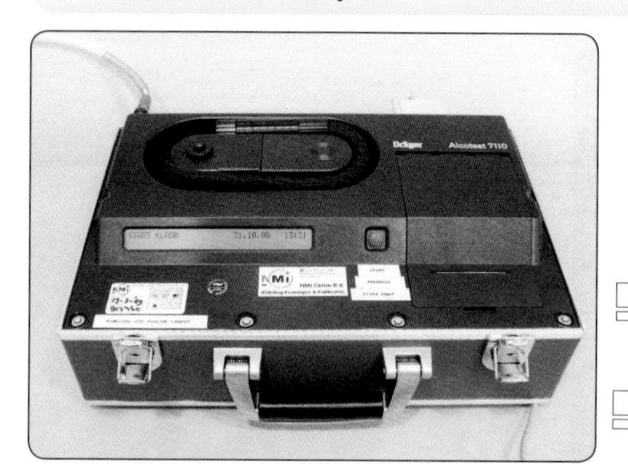

☐ Ja.

☐ Nee.

14. Wanneer is verlichting voeren verplicht?

☐ A. Als het zicht overdag ernstig wordt belemmerd.

☐ B. Bij nacht.

☐ C. Als het zicht overdag ernstig wordt belemmerd en bij nacht.

15. Je wilt rechtdoor; moet je de auto voor laten gaan?

- [ ] Ja.
- [ ] Nee.

16. Wat is de betekenis van dit bord?

- [ ] A. Gesloten in beide richtingen.
- [ ] B. Doodlopende weg.
- [ ] C. Eénrichtingsweg, in deze richting gesloten voor voertuigen, ruiters en geleiders van rij-, trekdieren of vee.

17. Je wilt rechtdoor; moet je de auto voor laten gaan?

- [ ] Ja.
- [ ] Nee.

18. Je wilt hier linksaf; mag dat?

- [ ] Ja.
- [ ] Nee.

19. Je wilt rechtdoor; mag je zo blijven rijden?

- [ ] Ja.
- [ ] Nee.

20. Wat is hier de juiste volgorde van voor laten gaan?

- [ ] A. Snorfiets, auto 2, auto1.
- [ ] B. Auto 2, snorfiets, auto 1.
- [ ] C. Auto 1, snorfiets, auto 2.

21. Kunnen drugs je rijvaardigheid beïnvloeden?

- [ ] Ja.
- [ ] Nee.

22. Je wilt wegrijden; moet je richting aangeven?

- [ ] Ja.
- [ ] Nee.

23. Je wilt de voorrangsweg naar links volgen; moet je richting aangeven?

- [ ] Ja.
- [ ] Nee.

24. Welke van deze factoren zijn van invloed op de stopafstand?

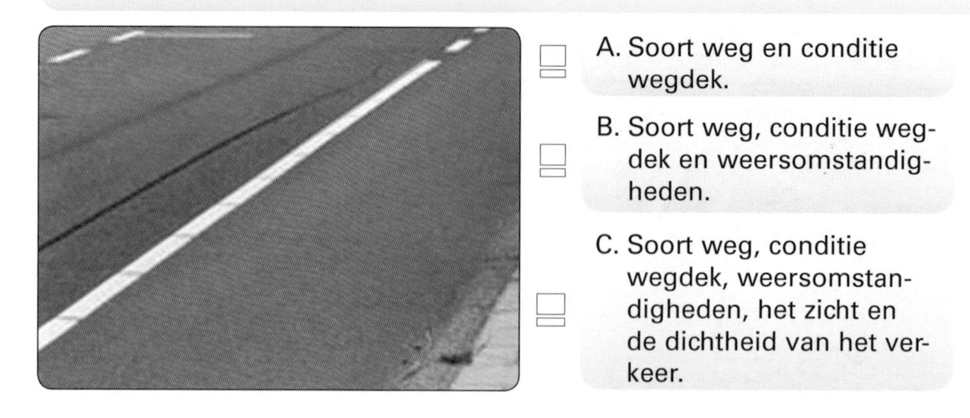

A. Soort weg en conditie wegdek.

B. Soort weg, conditie wegdek en weersomstandigheden.

C. Soort weg, conditie wegdek, weersomstandigheden, het zicht en de dichtheid van het verkeer.

25. Je moet wachten voor een naderende trein; mag dat zo?

Ja.

Nee.

26. Welk baken geeft aan: overweg over 240 m?

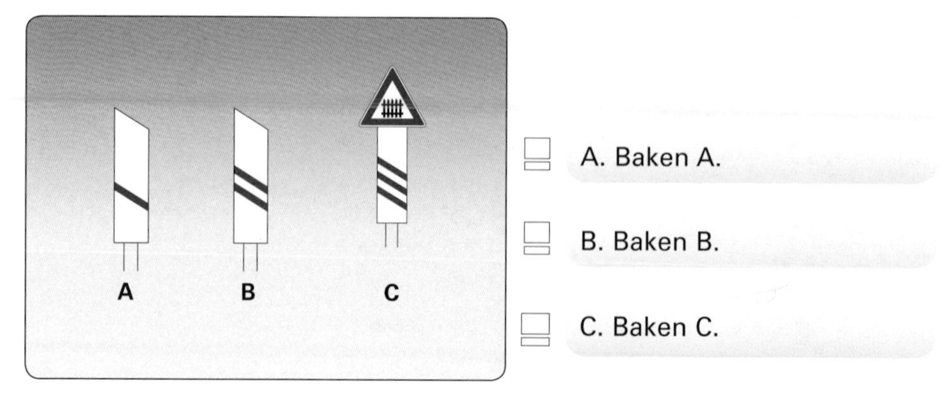

A. Baken A.

B. Baken B.

C. Baken C.

27. Je wilt rechtdoor; moet je de auto voor laten gaan?

- [ ] Ja.
- [ ] Nee.

28. Wanneer geldt bij een voetgangersoversteekplaats de zebrabescherming niet?

- [ ] A. Als bij de voetgangersoversteekplaats ook voetgangerslichten in werking zijn.
- [ ] B. Als bij de voetgangersoversteekplaats het bord voetgangersoversteekplaats niet is geplaatst.
- [ ] C. De zebrabescherming geldt altijd bij een voetgangersoversteekplaats.

29. Moet je hier nu linksaf?

- [ ] Ja.
- [ ] Nee.

30. Wat is hier de juiste volgorde van voor laten gaan?

- [ ] A. Auto, snorfiets, motorfiets.
- [ ] B. Auto, motorfiets, snorfiets.
- [ ] C. Snorfiets, auto, motorfiets.

31. Je wilt invoegen op de rijbaan; moet je de auto voor laten gaan?

- [ ] Ja.
- [ ] Nee.

32. Een tweewielige bromfiets mag niet breder zijn dan:

.... m.

33. Je vervoert zo een lading; mag dat?

- [ ] Ja.
- [ ] Nee.

34. Welke meter of meters moeten tijdens het rijden goed werken?

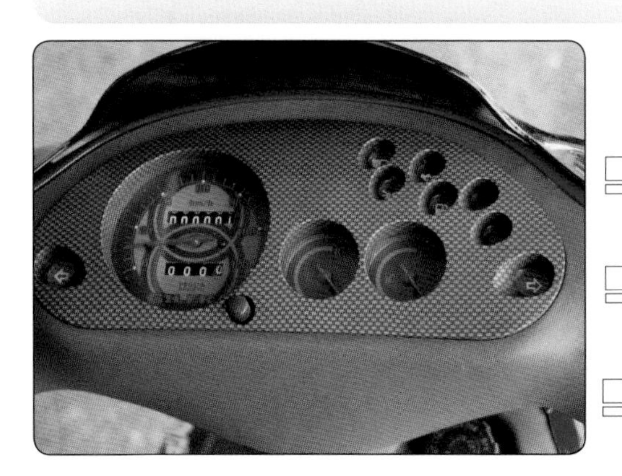

- [ ] A. De brandstofmeter.
- [ ] B. De brandstofmeter en kilometerteller.
- [ ] C. De snelheidsmeter.

35. Je wilt linksaf; moet je de auto voor laten gaan?

- [ ] Ja.
- [ ] Nee.

36. Bij welk bord wordt je gewaarschuwd voor ijzel of sneeuw?

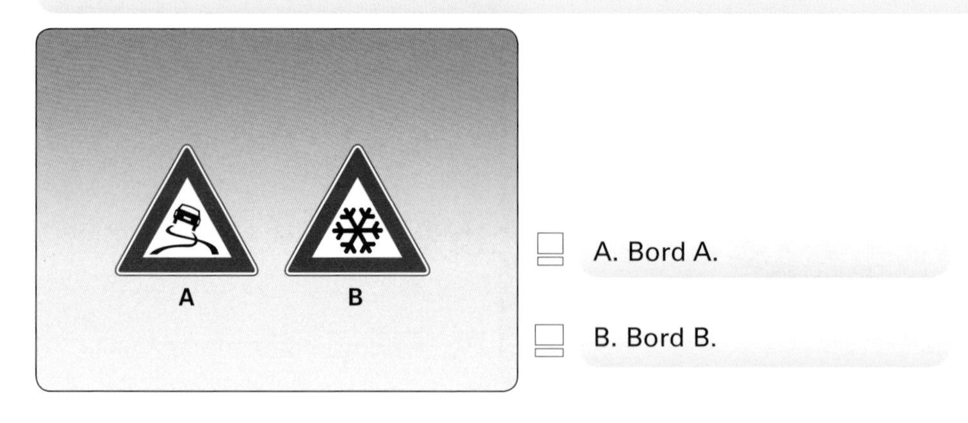

A. Bord A.

B. Bord B.

37. Je wilt, vanwege de geslotenverklaring, van dit pad gebruik maken; mag dat?

Ja.

Nee.

38. Je wilt linksaf; moet je de voetganger voor laten gaan?

Ja.

Nee.

39. Wat geeft de bevoegdheid om een snorfiets, bromfiets of brommobiel te mogen besturen?

A. De leeftijd van 16 jaar.

- [ ] B. Een bromfietscertificaat.

- [ ] C. Een rijbewijs AM.

40. Wat is hier de juiste volgorde van voor laten gaan?

- [ ] A. Motorfiets, auto, bromfiets.

- [ ] B. Auto, bromfiets, motorfiets.

- [ ] C. Bromfiets, motorfiets, auto.

41. Je wilt de rotonde verlaten; moet je richting aangeven?

- [ ] Ja.

- [ ] Nee.

42. Je wilt hier inrijden; mag dat?

- [ ] Ja.
- [ ] Nee.

43. Je wilt rechtdoor; moet je de auto voor laten gaan?

- [ ] Ja.
- [ ] Nee.

44. Bij welk bord of borden mogen brommobielen niet inrijden?

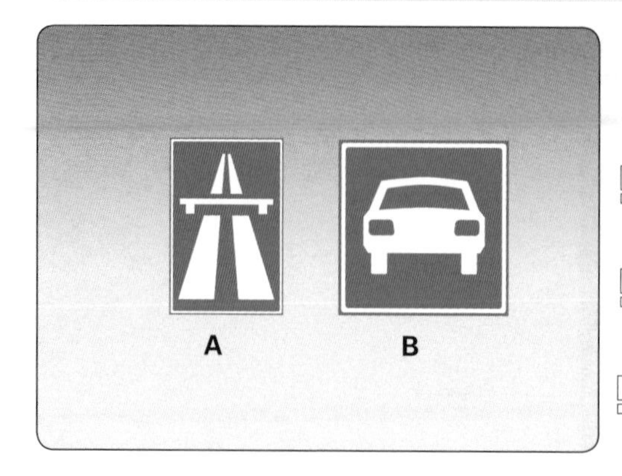

- [ ] A. Bord A.
- [ ] B. Bord B.
- [ ] C. Bord A en B.

45. Door een defect kan je bromfiets niet sneller rijden dan 15 km per uur. Mag je straks het fietspad oprijden?

- [ ] Ja.
- [ ] Nee.

46. Welke rem of remmen gebruik je op een glad wegdek?

- [ ] A. De voorrem.
- [ ] B. De achterrem.
- [ ] C. De voorrem en achterrem.

47. Je stopt; sta je hier goed opgesteld?

- [ ] Ja.
- [ ] Nee.

48. Je wilt rechtdoor de weg verlaten; moet je de autobus voor laten gaan?

- [ ] Ja.
- [ ] Nee.

49. Je rijdt hier 30 km per uur; mag dat?

- [ ] Ja.
- [ ] Nee.

50. Mag je tijdens een ontzegging van de rijbevoegdheid een bromfiets op de openbare weg besturen?

- [ ] Ja.
- [ ] Nee.

Examen 3

De antwoorden en motivaties van examen 3 vind je op pagina 220.

1. Mag je hier 30 km per uur gaan rijden?

- [ ] Ja.
- [ ] Nee.

2. Wat is hier de juiste volgorde van voor laten gaan?

- [ ] A. Auto, bromfiets, motorfiets.
- [ ] B. Bromfiets, auto, motorfiets.
- [ ] C. Auto, motorfiets, bromfiets.

3. Om zo veilig mogelijk te remmen maak je alleen gebruik van de voorrem; is dat juist?

☐ Ja.

☐ Nee.

4. Wat is de maximumsnelheid voor een tractor op de openbare weg?

.... km per uur.

hfst 11

5. Je wilt de rotonde oprijden; moet je de auto voor laten gaan?

☐ Ja.

☐ Nee.

6. Geeft de verkeersregelaar hier een stopteken voor het verkeer dat hem van achteren nadert?

- [ ] Ja.
- [ ] Nee.

7. Als je door een Rechter voor een misdrijf in het verkeer wordt veroordeeld, heb je dan een strafblad?

- [ ] Ja.
- [ ] Nee.

hfst 11

8. Welk bord geeft een erf aan?

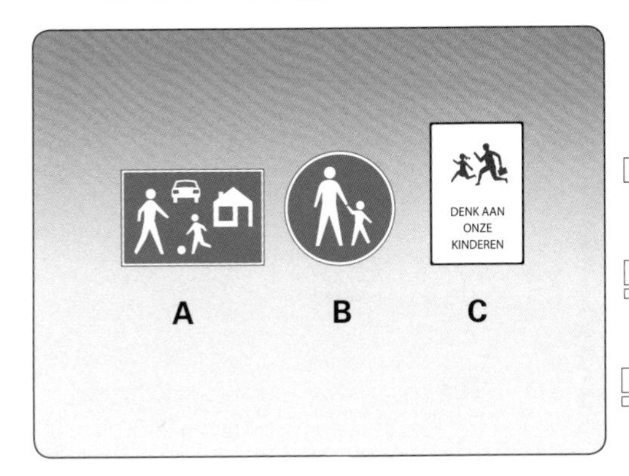

- [ ] A. Bord A.
- [ ] B. Bord B.
- [ ] C. Bord C.

9. Valt deze weggebruiker onder het begrip bestuurders?

- [ ] Ja.
- [ ] Nee.

10. Wat is hier de juiste volgorde van voor laten gaan?

- [ ] A. Tram, auto, bromfiets.
- [ ] B. Tram, bromfiets, auto.
- [ ] C. Bromfiets, tram, auto.

11. Je plaatst de bromfiets hier; mag dat?

- [ ] Ja.
- [ ] Nee.

12. Wat is hier voor bromfietsers de maximumsnelheid?

.... km per uur.

13. De politie twijfelt aan je rijvaardigheid; mag hij jou daarop controleren?

☐ Ja.

☐ Nee.

14. De maximumsnelheid van een brommobiel is zowel binnen als buiten de bebouwde kom .... km per uur.

.... km per uur.

15. Je wilt rechtdoor; moet je de fietser voor laten gaan?

- [ ] Ja.
- [ ] Nee.

16. Bij welk bord, binnen de bebouwde kom, moet je met de bromfiets op de rijbaan gaan rijden?

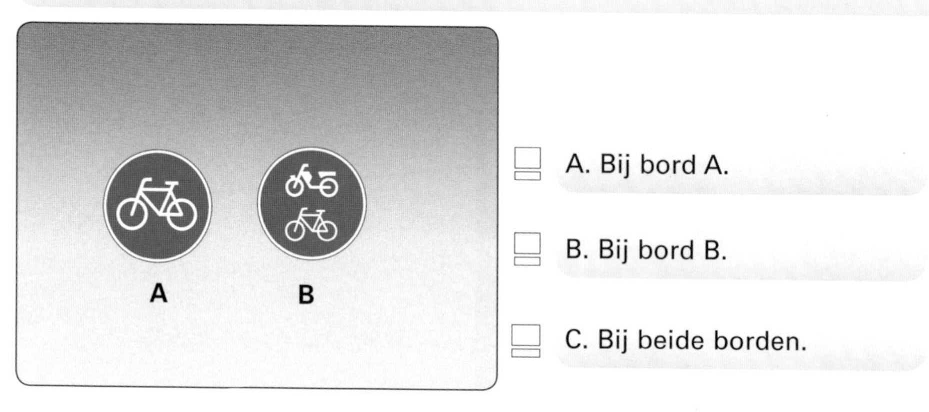

- [ ] A. Bij bord A.
- [ ] B. Bij bord B.
- [ ] C. Bij beide borden.

17. Je wilt rechtdoor; mag dat?

- [ ] Ja.
- [ ] Nee.

18. Je plaatst de bromfiets hier; mag dat?

- [ ] Ja.
- [ ] Nee.

19. Je rijdt hier rechtdoor; mag dat?

- [ ] Ja.
- [ ] Nee.

20. Wat is hier de juiste volgorde van voor laten gaan?

- [ ] A. Auto, snorfiets, vrachtauto.
- [ ] B. Snorfiets, auto, vrachtauto.
- [ ] C. Snorfiets, vrachtauto, auto.

21. Je wilt rechtsaf; moet je achter de fietser blijven rijden?

- Ja.
- Nee.

22. Moet je bij dit bord tegemoetkomende bestuurders, die zich reeds op de smalle doorgang bevinden, voor laten gaan?

- Ja.
- Nee.

23. Mag je hier stil gaan staan?

- Ja.
- Nee.

24. Welke verzekering is minimaal verplicht voor een bromfiets?

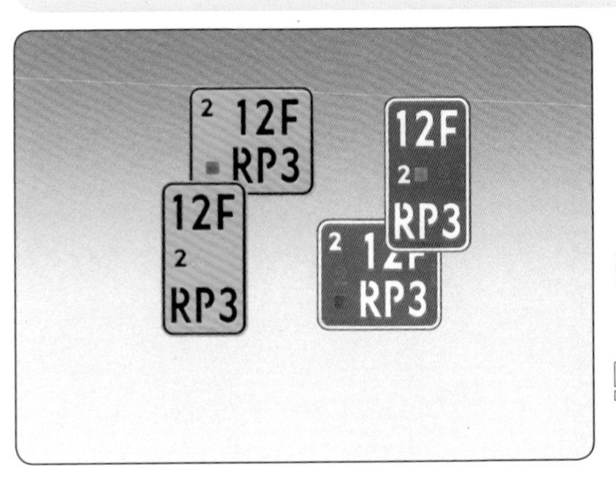

- [ ] A. WA (Wettelijke Aansprakelijkheid).
- [ ] B. ALL- risk (WA+volledig casco).

25. Je hebt je bromfiets hier geplaatst; mag dat?

- [ ] Ja.
- [ ] Nee.

26. Bij welk bord mag je niet inrijden?

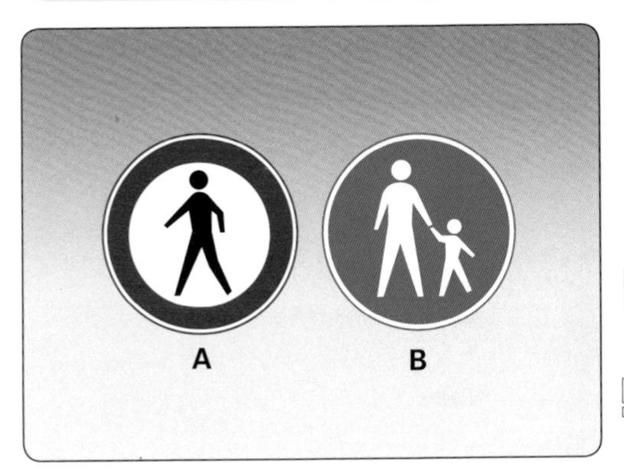

- [ ] A. Bij bord A.
- [ ] B. Bij bord B.

27. Moet je voor haaientanden stoppen?

- [ ] Ja.
- [ ] Nee.

28. Nader je hier een ongelijkwaardig kruispunt?

- [ ] Ja.
- [ ] Nee.

29. Je plaatst de bromfiets hier; mag dat?

- [ ] Ja.
- [ ] Nee.

30. Wat is hier de volgorde van voor laten gaan?

- [ ] A. Auto, snorfiets, motorfiets.
- [ ] B. Snorfiets, motorfiets, auto.
- [ ] C. Auto en motorfiets, snorfiets.

31. Mag je nu gebruik maken van groot licht?

- [ ] Ja.
- [ ] Nee.

32. Met welk bord of borden wordt je gewaarschuwd voor voetgangers?

- [ ] A. Bord A.
- [ ] B. De borden A en B.
- [ ] C. Bord C.

33. Je wilt hier inrijden; mag dat?

☐ Ja.

☐ Nee.

34. Een vierwielige bromfiets mag niet breder zijn dan:

.... m.

35. Het laatste motorvoertuig van een militaire colonne is voorzien van:

☐ A. Twee groene vlaggen en één groen koplicht.

☐ B. Twee blauwe vlaggen en één blauw koplicht.

☐ C. Eén groene vlag en één groen koplicht.

36. Welk bord heeft betrekking op éénrichtingsverkeer?

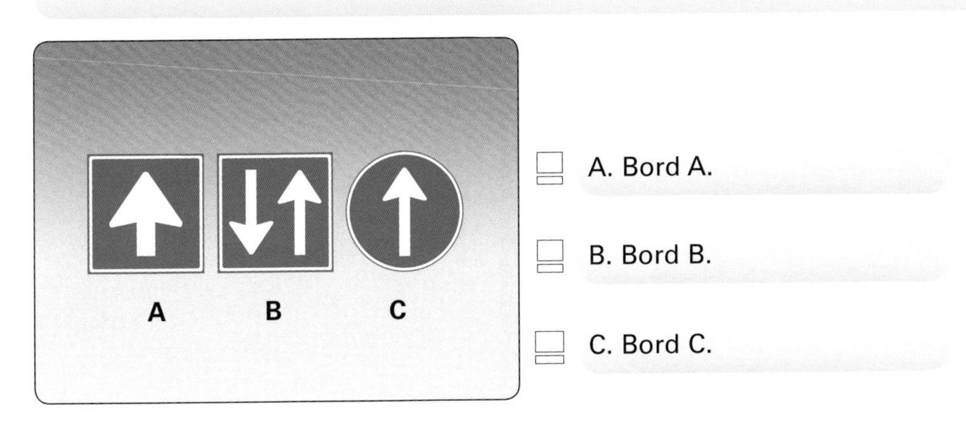

- A. Bord A.
- B. Bord B.
- C. Bord C.

37. Geeft de verkeersregelaar hier een teken tot snelheid vermeerderen?

- Ja.
- Nee.

hfst 1

38. Je moet stoppen voor het rode verkeerslicht; mag je op de OFOS strook gaan staan?

- Ja.
- Nee.

39. Je rijdt met een geleende bromfiets. Deze blijkt bij controle te zijn opgevoerd. Wie is er aansprakelijk?

- A. De eigenaar.
- B. De bestuurder.
- C. Beiden.

40. Wat is hier de juiste volgorde van voor laten gaan?

- A. Auto en vrachtauto, snorfiets.
- B. Vrachtauto, snorfiets, auto.
- C. Snorfiets, vrachtauto en auto.

41. Je wilt op de rijbaan gaan rijden; moet je richting aangeven?

- Ja.
- Nee.

42. Je wilt rechtdoor; moet je de fietser voor laten gaan?

- [ ] Ja.
- [ ] Nee.

43. Je wilt de auto inhalen; mag dat?

- [ ] Ja.
- [ ] Nee.

hfst 1

44. Wat kun je hier verderop verwachten?

- [ ] A. Werk in uitvoering.
- [ ] B. File.
- [ ] C. Een stilstaand voertuig dat een obstakel vormt.

45. De overwegbomen sluiten; mag je nog snel even doorrijden?

- ☐ Ja.
- ☐ Nee.

46. Moet je deze weggebruiker voor laten gaan?

- ☐ Ja.
- ☐ Nee.

47. Zijn motorvoertuigen van de politie altijd voorrangsvoertuigen?

- ☐ Ja.
- ☐ Nee.

48. Bij welk bord moet je meestal van richting veranderen?

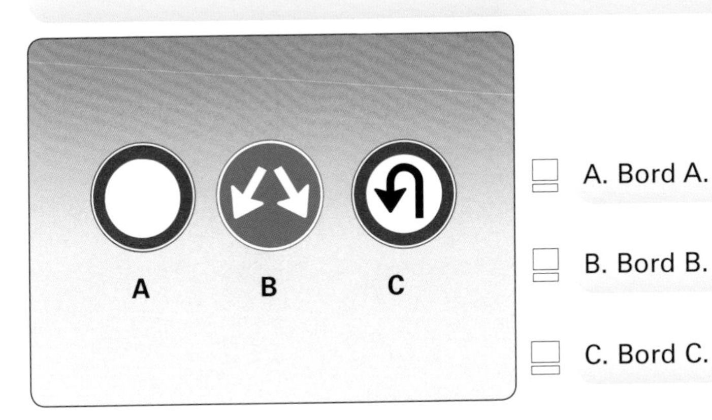

- [ ] A. Bord A.
- [ ] B. Bord B.
- [ ] C. Bord C.

49. Je plaatst je bromfiets hier; mag dat?

- [ ] Ja.
- [ ] Nee.

50. Je neemt zo deel aan het verkeer; mag dat?

- [ ] Ja.
- [ ] Nee.

Examen 4

De antwoorden en motivaties van examen 4 vind je op pagina 224.

1. Je stopt hier om naar de weg te vragen; mag dat?

☐ Ja.

☐ Nee.

2. Wat is hier de juiste volgorde van voor laten gaan?

☐ A. Fiets, auto, snorfiets.

☐ B. Auto, fiets, snorfiets.

☐ C. Snorfiets, auto, fiets.

3. Wat valt onder het begrip voorrang?

- [ ] A. Andere bestuurders voor laten gaan.
- [ ] B. Andere bestuurders voor laten gaan en in staat stellen ongehinderd hun weg te vervolgen.
- [ ] C. Als je stopt en een ander voor laat gaan.

4. Je wilt de rotonde oprijden; moet je de fietser voor laten gaan?

- [ ] Ja.
- [ ] Nee.

5. Door welk bord wordt je gewaarschuwd voor een slecht wegdek?

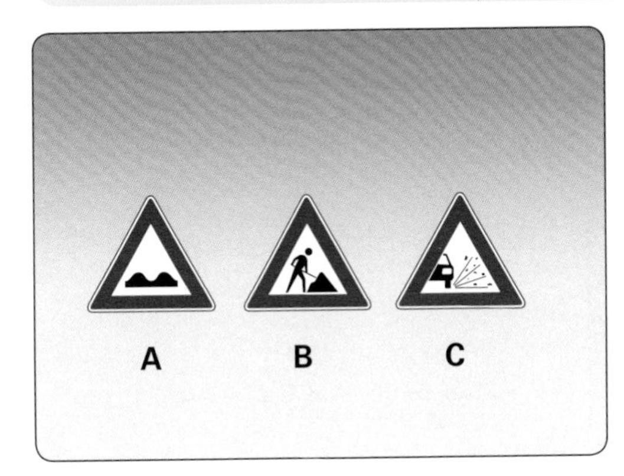

- [ ] A. Bord A.
- [ ] B. Bord B.
- [ ] C. Bord C.

6. Je wilt linksaf; moet je de voetganger voor laten gaan?

☐ Ja.

☐ Nee.

7. Je wilt linksaf; moet je de voetganger voor laten gaan?

☐ Ja.

☐ Nee.

8. Geeft de verkeersregelaar hier een stopteken voor het verkeer dat hem van rechts nadert?

☐ Ja.

☐ Nee.

9. Je wilt rechtdoor en hebt groen licht mag je doorrijden?

☐ Ja.

☐ Nee.

10. Wat is hier de juiste volgorde van voor laten gaan?

☐ A. Auto, motorfiets, snorfiets.

☐ B. Auto, snorfiets, motorfiets.

☐ C. Snorfiets, auto en motorfiets.

11. Tijdens het stilstaan met draaiende motor speel je met het gas; mag dat?

☐ Ja.

☐ Nee.

12. Voor doorrijden na een ongeval kan je soms strafvervolging voorkomen als je je binnen ...... uur vrijwillig bij de politie meldt.

.... uur.

13. Welk bord mag je aan beide zijden voorbijgaan?

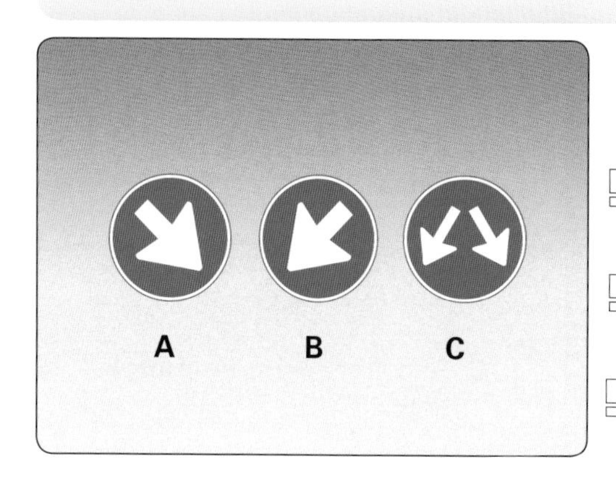

- A. Bord A.
- B. Bord B.
- C. Bord C.

hfst 11

14. Moet je hier met een bromfiets de rijbaan gebruiken?

- Ja.
- Nee.

15. Mag deze bestuurder een mobiele telefoon vasthouden?

- [ ] Ja.
- [ ] Nee.

16. Welk bord of borden hebben betrekking op het volgen van een verplichte rijrichting?

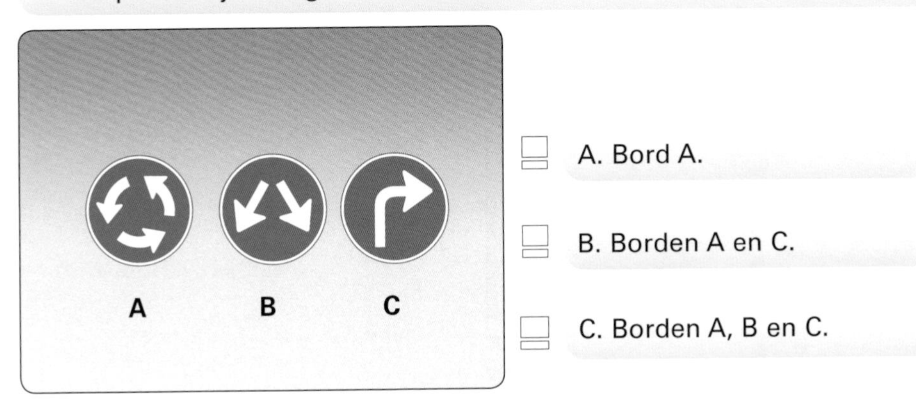

- [ ] A. Bord A.
- [ ] B. Borden A en C.
- [ ] C. Borden A, B en C.

17. Je wilt rechtdoor: mag je zo blijven rijden?

- [ ] Ja.
- [ ] Nee.

18. Je wilt rechtsaf; mag je de fietser nog even inhalen?

- ☐ Ja.
- ☐ Nee.

19. Je mag rechtsaf door rood; mag je nu doorrijden?

- ☐ Ja.
- ☐ Nee.

20. Wie mag er eerst?

- ☐ A. Fiets.
- ☐ B. Bromfiets.
- ☐ C. Auto.

21. Je plaatst de bromfiets hier; mag dat?

☐ Ja.

☐ Nee.

22. Welk bord heeft betrekking op vóór laten gaan?

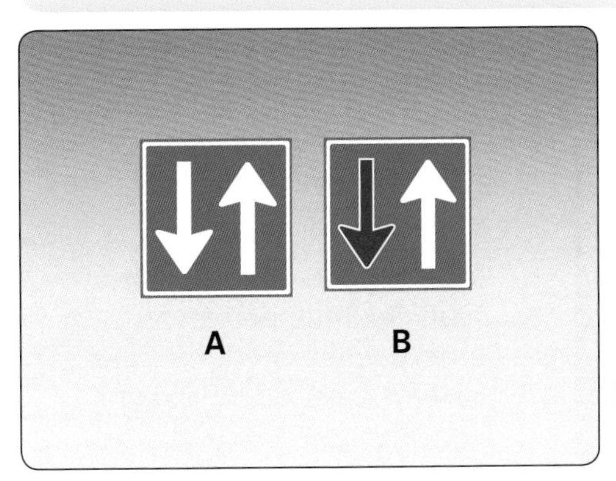

☐ A. Bord A.

☐ B. Bord B.

23. Je moet gebruik maken van het fiets-/bromfietspad; mag je zo voorsorteren

☐ Ja.

☐ Nee.

24. Welk strafbaar feit pleeg je als je een gewonde in hulpeloze toestand achterlaat?

- [ ] A. Een misdrijf.
- [ ] B. Een overtreding.
- [ ] C. Dit is niet strafbaar.

25. Waar moet je extra op letten als óók tractoren en landbouwvoertuigen gebruik maken van de rijbaan?

- [ ] A. Lage snelheid.
- [ ] B. Scherpe uitstekende delen.
- [ ] C. De breedte en de scherpe uitstekende delen van deze voertuigen, modder en/of mest op de rijbaan en de lage snelheid.

26. De betekenis van dit bord is:

- [ ] A. Maximumsnelheid.
- [ ] B. Einde bebouwde kom.
- [ ] C. Bebouwde kom.

27. I.v.m. drankgebruik heeft de rechter je een Educatieve Maatregel Alcohol (cursus) opgelegd.

- A. Je bent verplicht deze cursus te volgen.
- B. Je bent niet verplicht deze cursus te volgen.
- C. Je bent verplicht deze cursus op eigen kosten te volgen.

28. Je keert hier; mag dat?

- Ja.
- Nee.

29. Je wilt hier blijven rijden; mag dat?

- Ja.
- Nee.

30. Wat is hier de juiste volgorde van voor laten gaan?

- ☐ A. Fiets, snorfiets en auto.
- ☐ B. Auto en snorfiets, fiets.
- ☐ C. Auto, fiets, snorfiets.

31. Je wilt de auto rechts inhalen; mag dat?

- ☐ Ja.
- ☐ Nee.

32. De zigzagstreep betekent:

- ☐ A. Nadering voorrangskruispunt.
- ☐ B. Nadering gevaarlijk punt.
- ☐ C. Verleen voorrang aan de bestuurders op de kruisende weg.

33. Rijd je zo op de juiste plaats van de rijbaan?

- [ ] Ja.
- [ ] Nee.

34. Welke weggebruikers vallen onder het begrip bestuurders?

- [ ] A. Alle weggebruikers.
- [ ] B. Alle bestuurders van motorvoertuigen.
- [ ] C. Alle weggebruikers behalve voetgangers.

35. Kunnen bepaalde geneesmiddelen je rijvaardigheid ongunstig beïnvloeden?

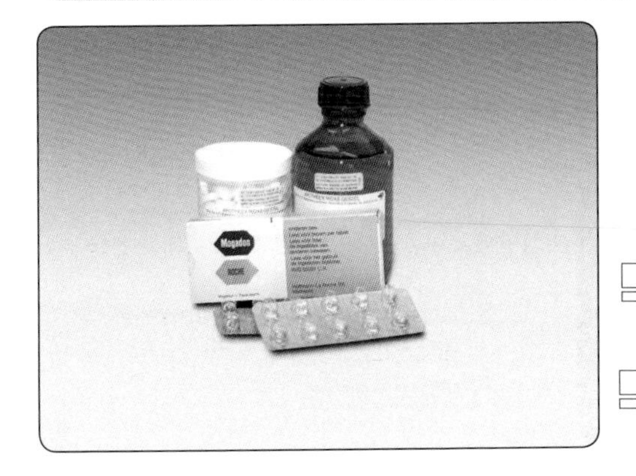

- [ ] Ja.
- [ ] Nee.

36. Bij dit bord moet je rekening houden met:

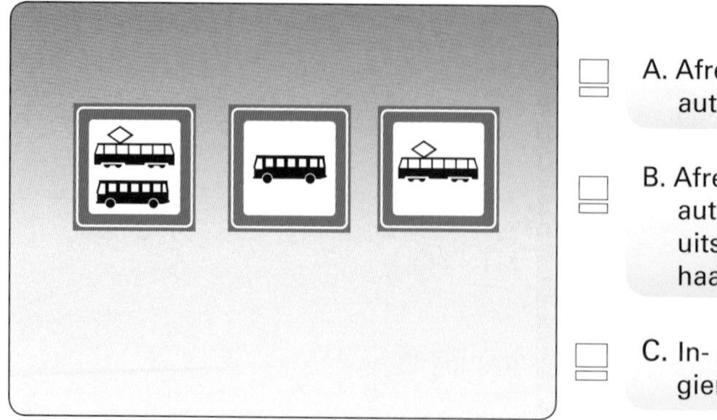

- [ ] A. Afremmende en wegrijdende autobussen en trams.
- [ ] B. Afremmende en wegrijdende autobussen en trams, in- en uitstappende passagiers en haastige voetgangers.
- [ ] C. In- en uitstappende passagiers.

37. Valt de koetsier onder het begrip bestuurders?

- [ ] Ja.
- [ ] Nee.

38. Het verkeerslicht staat op rood; moet je hier achter de auto blijven staan?

- [ ] Ja.
- [ ] Nee.

39. Je wilt rechtdoor; moet je de fietser, die links afslaat, voor laten gaan?

☐ Ja.

☐ Nee.

40. Wie mag hier eerst?

☐ A. Snorfiets.

☐ B. Motorfiets.

☐ C. Auto.

41. Je wilt hier 45 km per uur gaan rijden; mag dat?

☐ Ja.

☐ Nee.

42. Je plaats de bromfiets hier heel even; mag dat?

- [ ] Ja.
- [ ] Nee.

43. Je haalt de auto op deze rotonde in. Mag dat?

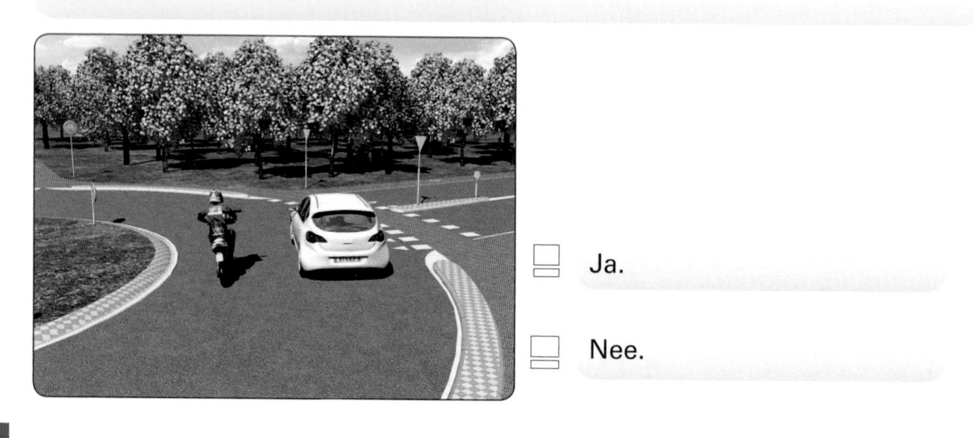

- [ ] Ja.
- [ ] Nee.

44. Welke van deze borden betekent: gevaarlijke daling?

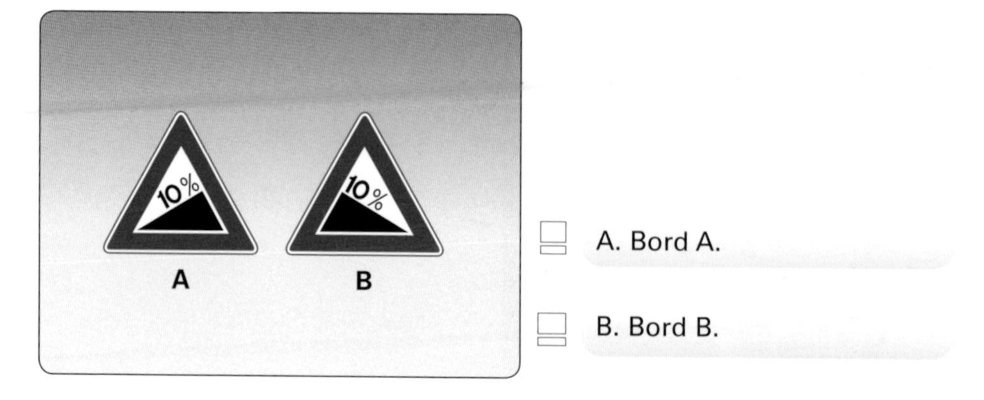

- [ ] A. Bord A.
- [ ] B. Bord B.

45. Je hebt pech; mag je hier gaan staan?

- [ ] Ja.
- [ ] Nee.

46. Op welk wiel of wielen staat de meeste druk tijdens het remmen?

- [ ] A. Op het voorwiel.
- [ ] B. Op het achterwiel.
- [ ] C. Op beide wielen even veel.

47. Je wilt linksaf; mag je zo voorsorteren?

- [ ] Ja.
- [ ] Nee.

48. Hoeveel meter afstand tot je voorligger moet je bewaren bij een snelheid van 36 km per uur?

.... m.

49. De voorrem levert niet voldoende remkracht; mag je nu gaan rijden?

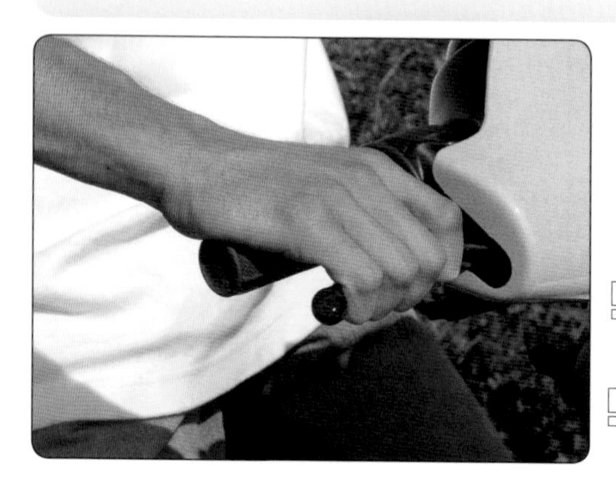

☐ Ja.

☐ Nee.

50. Je wilt nu gaan rijden; mag dat?

☐ Ja.

☐ Nee.

Examen 5

De antwoorden en motivaties van examen 5 vind je op pagina 228.

1. Bij een alcoholcontrole weiger je te blazen in het ademanalyse-apparaat; pleeg je daarmee een misdrijf?

- [ ] Ja.
- [ ] Nee.

2. Wat is hier de juiste volgorde van voor laten gaan?

- [ ] A. Vrachtauto, auto, snorfiets.
- [ ] B. Snorfiets, vrachtauto, auto.
- [ ] C. Auto, vrachtauto en snorfiets.

3. Welk bord geeft een alternatieve route aan?

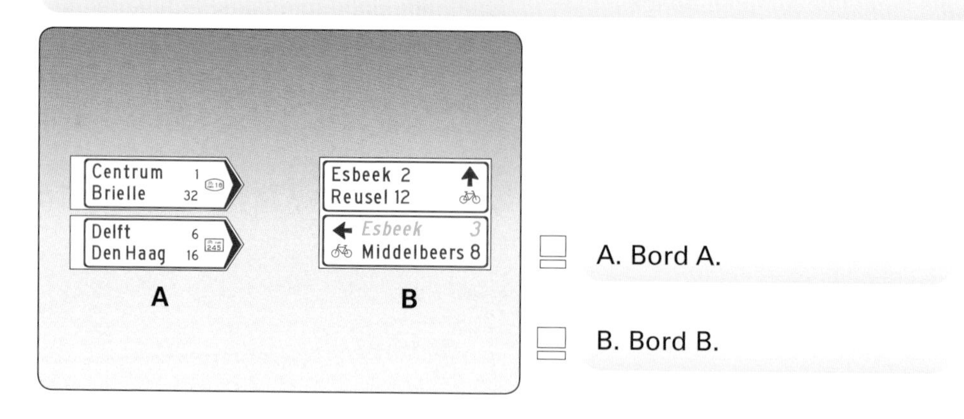

- [ ] A. Bord A.
- [ ] B. Bord B.

4. Welke bestuurders mogen op de rijbaan 45 km per uur rijden?

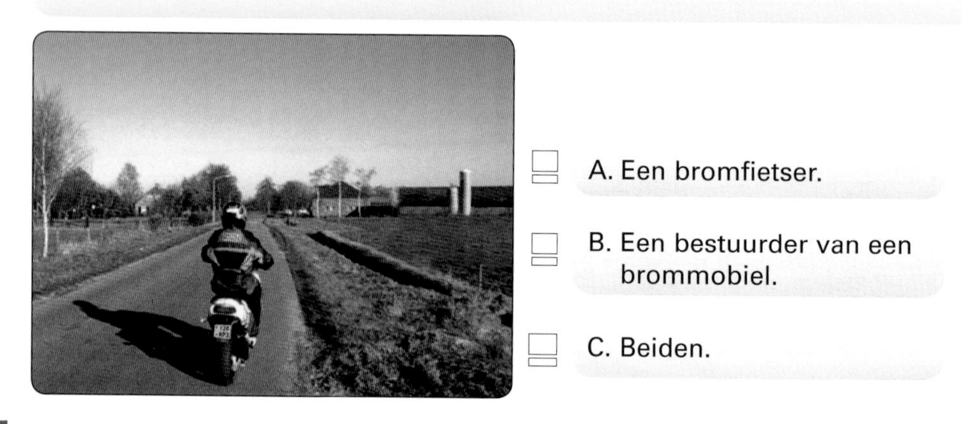

- [ ] A. Een bromfietser.
- [ ] B. Een bestuurder van een brommobiel.
- [ ] C. Beiden.

5. Je wilt rechtdoor; moet je de fietser voor laten gaan?

- [ ] Ja.
- [ ] Nee.

6. Is het voor een brommobiel toegestaan een weg met het bord C8 in te rijden?

☐ Ja.

☐ Nee.

7. Je wilt rechtdoor; moet je de fietser voor laten gaan?

☐ Ja.

☐ Nee.

8. Welk bord geeft aan dat het oversteken voor voetgangers en kinderen wordt geregeld door verkeersbrigadiers?

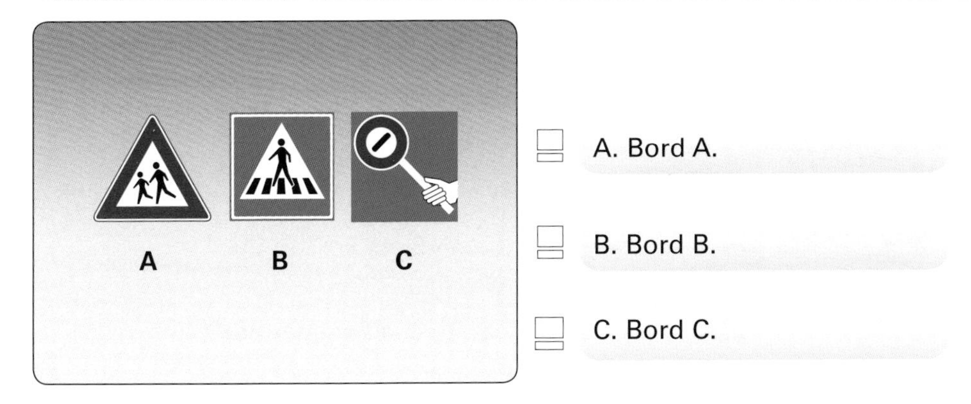

☐ A. Bord A.

☐ B. Bord B.

☐ C. Bord C.

9. Bij welk onderbord gaat het boven geplaatste bord direct in werking?

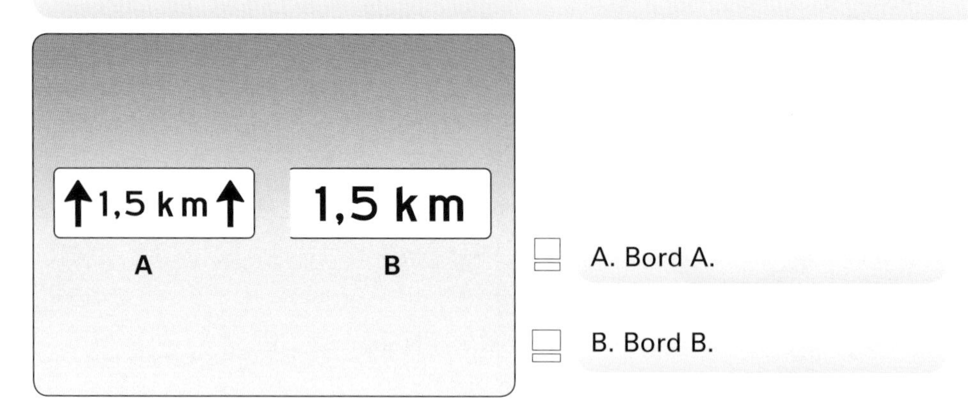

- [ ] A. Bord A.
- [ ] B. Bord B.

10. Wat is hier de juiste volgorde van voor laten gaan?

- [ ] A. Bromfiets, vrachtauto, auto.
- [ ] B. Auto, bromfiets, vrachtauto.
- [ ] C. Vrachtauto, auto, bromfiets.

11. Buiten de bebouwde kom geldt voor een brommobiel een maximumsnelheid van:

- [ ] A. 30 km per uur.
- [ ] B. 45 km per uur.
- [ ] C. 40 km per uur.

12. Hoeveel zitplaatsen mogen er maximaal op een bromfiets aanwezig zijn?

.... zitplaatsen.

13. Je wilt linksaf, mag je hier opstellen?

- [ ] Ja.
- [ ] Nee.

hfst 11

14. Wat betekent dit bord?

- [ ] A. Slecht wegdek.
- [ ] B. Drempels.
- [ ] C. Werk in uitvoering.

15. De fietser laat zich zo slepen; mag dat?

- [ ] Ja.
- [ ] Nee.

16. Wat betekent dit bord?

- [ ] A. Aanduiding voetgangersoversteekplaats om de hoek.
- [ ] B. Aanduiding oversteekplaats.
- [ ] C. Let op voetgangers.

17. Welke onderzoeken kunnen op het politiebureau plaatsvinden om je alcoholgehalte te kunnen vaststellen?

- [ ] A. Een bloedproef.
- [ ] B. Een urineproef.
- [ ] C. Een ademtest met een ademanalyse-apparaat of in sommige gevallen een bloed- of urineproef.

18. Je wilt nu de rijbaan oprijden; mag dat?

- [ ] Ja.
- [ ] Nee.

19. Wat is het Europees alarmnummer?

- [ ] A. 112.
- [ ] B. 0611.
- [ ] C. 06800.

20. Wat is hier de juiste volgorde van voor laten gaan?

- [ ] A. Tram, bromfiets, auto.
- [ ] B. Bromfiets, tram, auto.
- [ ] C. Bromfiets, auto, tram.

21. Staan op het deel 1A van het kentekenbewijs jouw persoonsgegevens?

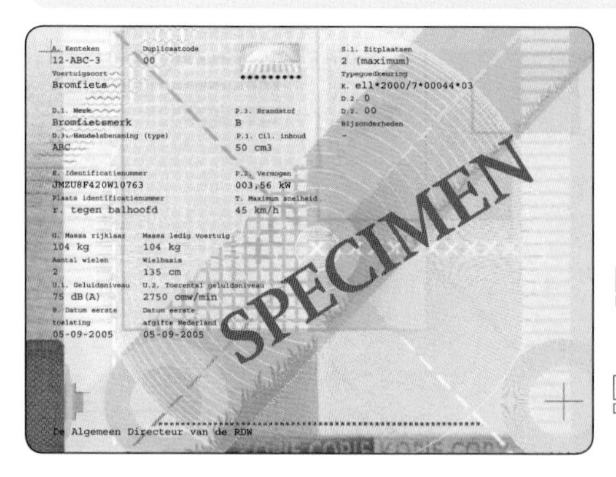

A. Kenteken
12-ABC-3
Duplicaatcode
00
Voertuigsoort
Bromfiets
D.1. Merk
Bromfietsmerk
D.3. Handelsbenaming (type)
ABC
E. Identificatienummer
JMZU8F420W10763
Plaats identificatienummer
r. tegen balhoofd
G. Massa rijklaar
104 kg
Massa ledig voertuig
104 kg
Aantal wielen
2
Wielbasis
135 cm
U.1. Geluidsniveau
75 dB(A)
U.2. Toerental geluidsniveau
2750 omw/min
B. Datum eerste toelating
05-09-2005
Datum eerste afgifte Nederland
05-09-2005
P.3. Brandstof
B
P.1. Cil. inhoud
50 cm3
P.2. Vermogen
003,56 kW
T. Maximum snelheid
45 km/h
S.1. Zitplaatsen
2 (maximum)
Typegoedkeuring
K. e11*2000/7*00044*03
D.2. 0
D.2. 00
Bijzonderheden
-
De Algemeen Directeur van de RDW

SPECIMEN

☐ Ja.

☐ Nee.

22. Op welke fietsstroken mag je voorsorteren voor rechts afslaan?

☐ A. Op alle fietsstroken.

☐ B. Op fietsstroken gemarkeerd met een doorgetrokken streep.

☐ C. Op fietsstroken gemarkeerd met een onderbroken streep.

23. Gebied dit bord tot het volgen van de rijrichting die op het bord is aangegeven?

☐ Ja.

☐ Nee.

24. Geeft de verkeersregelaar hier een stopteken voor het verkeer dat hem van voren nadert?

- [ ] Ja.
- [ ] Nee.

25. Je vervoert zo een passagier; mag dat?

- [ ] Ja.
- [ ] Nee.

26. Welk bord betekent: overweg met overwegbomen?

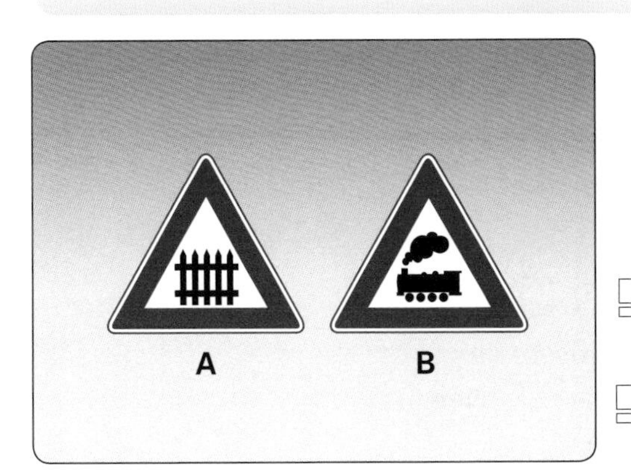

- [ ] A. Bord A.
- [ ] B. Bord B.

27. Je wilt hier linksaf; mag je zo voorsorteren?

☐ Ja.

☐ Nee.

28. Mag je zo op een bromfiets rijden?

☐ Ja.

☐ Nee.

29. Moet je hier voorrang verlenen aan alle verkeer op de kruisende weg?

☐ Ja.

☐ Nee.

30. Wat is hier de juiste volgorde van voor laten gaan?

- [ ] A. Auto, fiets, snorfiets.
- [ ] B. Auto en snorfiets, fiets.
- [ ] C. Fiets, auto en snorfiets.

31. Je wilt hier rechtsaf; moet je hier richting aangeven?

- [ ] Ja.
- [ ] Nee.

32. Wat is de betekenis van dit bord?

- [ ] A. Verbod voor alle weggebruikers door te gaan bij nadering van verkeer uit tegengestelde richting.
- [ ] B. Verbod voor bestuurders door te gaan bij nadering van verkeer uit de tegengestelde richting.

33. Je hebt hier je bromfiets geplaatst; mag dat?

☐ Ja.

☐ Nee.

34. Waar moet je naar kijken voor het nemen van bochten?

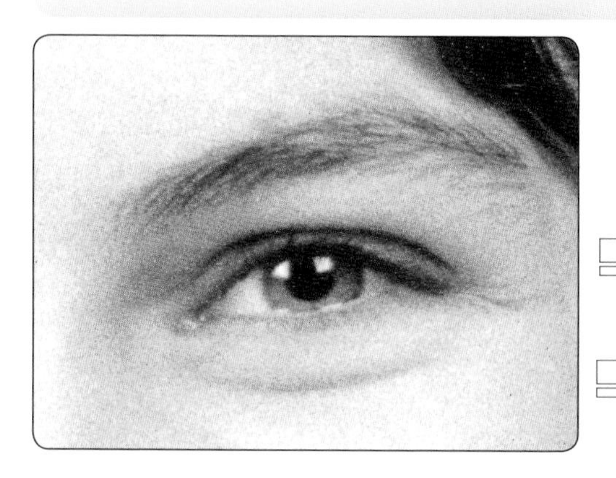

☐ A. Kijk naar het punt waar je uit wilt komen.

☐ B. Kijk naar de as van de weg.

35. Moet een helm voorzien zijn van een goedkeuringsmerk?

☐ Ja.

☐ Nee.

36. Op welke bestuurders moet je bij dit bord extra letten?

- A. Bestuurders van fietsen, motorfietsen en bromfietsen.
- B. Bestuurders van motorvoertuigen.
- C. Bestuurders van inhalende voertuigen op de kruisende weg.

37. Is dit de juiste plaats op de weg?

- A. Ja, je rijdt hier uit de wind achter een vrachtauto.
- B. Nee, je wordt niet gezien omdat je in een dode hoek rijdt, en je hebt geen zicht op het overige verkeer.
- C. Nee, je kunt niet zien wat er voor de vrachtauto gebeurd.

hfst 11

38. Bij dit bord mag je met een bromfiets stilstaan en onmiddellijk:

- A. Een passagier op of af laten stappen.
- B. Goederen laden of lossen.
- C. Een passagier op of af laten stappen of goederen laden of lossen.

39. Je wilt rechtdoor; moet je de auto voor laten gaan?

- [ ] Ja.
- [ ] Nee.

40. Wat is hier de juiste volgorde van voor laten gaan?

- [ ] A. Motorfiets, auto, bromfiets.
- [ ] B. Bromfiets en motorfiets, auto.
- [ ] C. Auto, bromfiets en motorfiets.

41. Rem je zo op de juiste wijze?

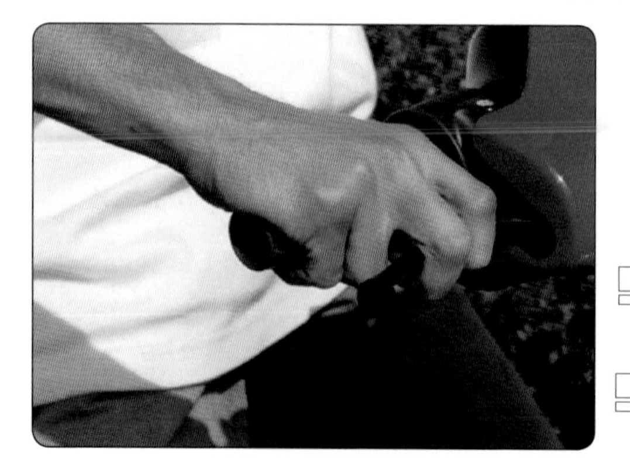

- [ ] Ja.
- [ ] Nee.

42. Welke personen mogen uitsluitend aanwijzingen geven om je te laten stoppen?

- A. Militairen van de marechaussee.
- B. Begeleiders van een railvoertuig.
- C. Begeleiders van een railvoertuig en daartoe bevoegde en als zodanig herkenbare verkeersbrigadiers.

43. Het verkeerslicht springt op groen; mag je nu gaan rijden?

- Ja.
- Nee.

hfst 1

44. Wanneer worden deze onderborden geplaatst?

- A. Om een gevaarlijke of onoverzichtelijke bocht aan te geven.
- B. Om een afbuigend kruispunt met een onverharde weg of wegen aan te geven.
- C. Om samen met bord B1 een afbuigende voorrangsweg of samen met bord B3, B4 of B5 een afbuigend voorrangskruispunt aan te geven.

45. Aan welke zijde van de weg mag je op het trottoir je bromfiets plaatsen?

- A. Links en rechts.
- B. Links.
- C. Rechts.

46. De auto laat je niet voorgaan; mag je doorrijden?

- Ja.
- Nee.

47. Je wilt rechts afslaan; mag je nog voor de tram oprijden?

- Ja.
- Nee.

48. Je wilt linksaf; moet je de links afslaande fietser voor laten gaan?

- [ ] Ja.
- [ ] Nee.

49. De bermen horen bij het:

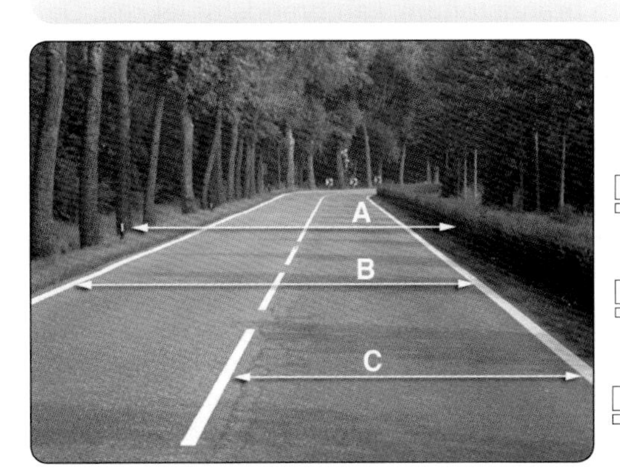

- [ ] A. Gedeelte A (weg).
- [ ] B. Gedeelte B (rijbaan).
- [ ] C. Gedeelte C (rijstrook).

50. Kun je verwachten dat je na het passeren van dit bord wordt ingehaald door motorvoertuigen?

- [ ] Ja.
- [ ] Nee.

12. Antwoorden en motivaties

Examen 1

Antwoorden en motivaties

1 Ja Buiten de bebouwde kom mag je met een bromfiets maximaal 45 km per uur rijden op de rijbaan.

2 B Het bord B7 betekent: Stop; verleen voorrang aan bestuurders op de kruisende weg.

3 Ja Het bord G11 geeft een verplicht fietspad aan. Bromfietsers mogen geen gebruik maken van het verplichte fietspad, zij moeten gebruik maken van de rijbaan.

4 Nee Uit een niet goed afgesloten brandstoftank kan brandstof lekken. Dat is niet alleen slecht voor het milieu, maar ook zéér brandgevaarlijk.

5 50 cm^3 De maximale cilinderinhoud voor een bromfiets met een verbrandingsmotor is 50 cm^3.

6 Ja Bestuurders die afslaan moeten het rechtdoorgaande verkeer op dezelfde weg voor laten gaan. Dit geldt ook als je een rotonde verlaat.

7 A Vrachtauto, auto, snorfiets. De bestuurder van de snorfiets moet voorrang verlenen aan de bestuurder van de personenauto, omdat deze van rechts komt op een gelijkwaardig kruispunt. De bestuurder van de personenauto, moet voorrang verlenen aan de bestuurder van de vrachtauto, omdat deze van rechts komt op een gelijkwaardig kruispunt.

8 Nee Het bord E2 geeft hier voor de rechterzijde van de weg een verbod stil te staan aan. Bromfietsen moeten worden geplaatst op het trottoir, voetpad, in de berm of op andere aangewezen plaatsen zoals een fietsenstalling.

9 Ja Bestuurders die afslaan moeten het rechtdoorgaande verkeer op dezelfde weg voor laten gaan.

10 B Een kentekenplaat en een wit rond plaatje met rode rand, met daarop 45, aan de achterzijde van het voertuig.

11 Nee Het is verboden om op de openbare weg allerlei acrobatische toeren en evenwichtsoefeningen te doen. Je kunt zo onmogelijk in het verkeer de nodige handelingen verrichten.

12 C Bromfiets, vrachtauto, auto. De bestuurder van de personenauto moet voorrang verlenen aan de bestuurder van de vrachtauto omdat deze van rechts komt op een gelijkwaardig kruispunt. De bestuurder van de vrachtauto moet aan de bestuurder van de bromfiets voorrang verlenen omdat deze van rechts komt op een gelijkwaardig kruispunt.

13 Nee Op de rijbaan rijd je mee tussen het andere verkeer zonder al teveel rechts te rijden. Dit om te voorkomen dat andere bestuurders naast je gaan rijden.

14 Ja Het bord G12a geeft een fiets-/bromfietspad aan.
Fietsers, snorfietsers, bromfietsers en bestuurders van gehandicaptenvoertuigen mogen dit pad gebruiken.

15 Nee Bromfietsen moeten worden geplaatst op het trottoir, voetpad, in de berm of op andere aangewezen plaatsen zoals een fietsenstalling. Bovendien sta je hier op een bushalte. Je mag dan alleen maar passagiers op of af laten stappen.

16 45 Op de rijbaan binnen de bebouwde kom is de maximumsnelheid voor bestuurders van bromfietsen 45 km per uur. Op fiets-/bromfietspaden binnen de bebouwde kom is dit 30 km per uur.

17 Nee Het bord B6 en de haaientanden op de weg geven hier aan dat je voorrang moet verlenen aan bestuurders op de kruisende weg. Voetgangers zijn geen bestuurders.

18 Ja Het bord C11 geeft een geslotenverklaring aan voor motorfietsen. Bromfietsen zijn geen motorfietsen.

19 Nee Het bord G11 geeft een verplicht fietspad aan. Fietsers, snorfietsers en bestuurders van gehandicaptenvoeruigen mogen dit pad wel volgen. Bromfietsers moeten hier de rijbaan gebruiken.

20 25 De maximum toegestane snelheid voor een snorfiets is 25 km per uur, ongeacht of deze binnen of buiten de bebouwde kom rijdt.

21 Nee Het bord C15 geeft een geslotenverklaring aan voor fietsen, bromfietsen en gehandicaptenvoertuigen.

22 240 m Het baken (met de 3 diagonale rode strepen) geeft aan dat je over 240 m een overweg kunt verwachten.

23 Ja Op kruispunten van gelijkwaardige wegen moeten bestuurders voorrang verlenen aan de voor hen van rechts komende bestuurders.

24 Nee Een fietsstrook mag worden gebruikt door fietsers, snorfietsers en bestuurders van gehandicaptenvoertuigen. Bromfietsers moeten hier de rijbaan gebruiken.

25 C Voor de bestuurder van de personenauto geldt bord F5 (verbod voor bestuurders door te gaan bij nadering van verkeer uit tegengestelde richting). De bestuurder van de vrachtauto moet de snorfiets voorrang verlenen omdat deze van rechts komt op een gelijkwaardig kruispunt.

26 2 remmen Een voor- en een achterrem.

27 Ja Het bord C2 met onderbord geeft een éénrichtingsweg aan in deze richting gesloten voor voertuigen, ruiters en geleiders van rij- of trekdieren of vee. Uitgezonderd voor bromfietsen en gehandicaptenvoertuigen met in werking zijnde motor.

28 C Snorfiets en vrachtauto, auto. De bestuurders van de vrachtauto en de snorfiets komen niet met elkaar in conflict; zij vervolgen beiden hun weg. De bestuurder van de auto moet volgens het verkeersbord en de haaientanden (verleen voorrang aan bestuurders op de kruisende weg) de bestuurder van de snorfiets en de bestuurder van de vrachtauto voor laten gaan.

29 Ja Het bord G11 geeft een verplicht fietspad aan. Ontbreekt de rijbaan en het fiets-/bromfietspad, dan mogen bromfietsers met afgezette motor te voet dit pad gebruiken.

30 Ja Het bord C14 geeft een geslotenverklaring aan voor fietsen, snorfietsen en gehandicaptenvoertuigen zonder motor. Andere weggebruikers mogen deze weg wel gebruiken.

31 B Als het rijbewijs is ingevorderd, dan zijn alle categorieën ongeldig, behalve de categorie AM. Het bromfietsrijbewijs (categorie AM) kent geen eisen van geschiktheid. Het is daarom niet mogelijk dit rijbewijs in te vorderen.

32 B De verkeersregelaar geeft een algemeen stopteken.

33 Nee Op kruispunten van gelijkwaardige wegen moeten bestuurders voorrang verlenen aan de voor hen van rechts komende bestuurders.

34 16 jaar Je mag pas op 16 jarige leeftijd, na het behalen van een rijbewijs AM, deelnemen aan het verkeer.

35 Ja Normaal gesproken gaat het rechtdoorgaande verkeer op dezelfde weg voor afslaande bestuurders. Maar je moet een afbuigende tram altijd voor laten gaan, ongeacht of je rechtdoor gaat of wilt afslaan op dezelfde weg.

36 Ja Het bord L8 geeft een doodlopende weg aan en geen geslotenverklaring.

37	Ja	Bromfietsers moeten hier de rijbaan gebruiken. Een fietsstrook mag worden gebruikt door fietsers, snorfietsers en bestuurders van gehandicaptenvoertuigen.
38	A	Het bord A (G11) betekent: Verplicht fietspad. Bord B (G12a) geeft een fiets-/bromfietspad aan en bord C (G13) geeft een onverplicht fietspad aan.
39	Ja	Bromfietsen moeten worden geplaatst op het trottoir, voetpad, in de berm of op andere aangewezen plaatsen zoals een fietsenstalling.
40	Nee	Het vizier van de helm is beslagen. Hierdoor heb je geen goed zicht op het verkeer en de weg. Je mag zo niet gaan rijden.
41	A	Het bord C4 betekent: Eénrichtingsweg.
42	A	Het waarschuwingsbord J8 betekent: Gevaarlijk kruispunt.
43	Ja	Een brommobiel is een bromfiets op meer dan twee wielen met een carrosserie. Deze kan ook open zijn. Als bestuurder of passagier van een open brommobiel waarin geen gordels zitten, moet je een helm dragen.
44	B	De bestuurder van de personenauto en de bestuurder van de fiets komen niet met elkaar in conflict. De bestuurder van de snorfiets moet de bestuurder van de fiets voor laten gaan. De bestuurder van de personenauto moet de bestuurder van de snorfiets voor laten gaan omdat deze van rechts komt op een gelijkwaardig kruispunt.
45	Nee	Bromfietsers en snorfietsers mogen niet naast een andere bromfiets, snorfiets of fiets rijden. Alleen fietsers mogen, als daardoor geen gevaar of hinder ontstaat, wel met z'n tweeën naast elkaar rijden.
46	C	Gesloten verklaring voor fietsers en gehandicaptenvoertuigen zonder motor.
47	Nee	Bromfietsen moeten worden geplaatst op het trottoir, voetpad, in de berm of op andere aangewezen plaatsen zoals een fietsenstalling.
48	Nee	Het bord G7 geeft een voetpad aan. Andere weggebruikers dan voetgangers mogen dit pad niet gebruiken.
49	Ja	Bromfietsers moeten hier de rijbaan gebruiken. Een fietsstrook mag worden gebruikt door fietsers, snorfietsers en bestuurders van gehandicaptenvoertuigen.
50	Ja	Het gele verkeerslicht betekent wel stop, maar bestuurders die het licht zo dicht genaderd zijn dat stoppen redelijkerwijs niet meer mogelijk is, mogen doorgaan.

Examen 2

Antwoorden en motivaties

1 Nee Bij het tegenkomen van andere weggebruikers moet jij en het tegemoetkomende verkeer - indien nodig - zover naar rechts uitwijken dat er voldoende zijdelingse afstand blijft.

2 C Snorfiets, vrachtauto, auto. De bestuurder van de auto en de bestuurder van de snorfiets komen niet met elkaar in conflict. De bestuurder van de vrachtauto moet de bestuurder van de snorfiets voor laten gaan omdat deze van rechts komt op een gelijkwaardig kruispunt. De bestuurder van de auto moet de bestuurder van de vrachtauto voor laten gaan omdat deze van rechts komt.

3 Nee Op kruispunten van gelijkwaardige wegen moeten bestuurders voorrang verlenen van de voor hen van rechts komende bestuurders.

4 Nee Dit is een kentekenplaat voor een bromfiets.

5 Nee Binnen de bebouwde kom mag je met een bromfiets op de rijbaan 45 km per uur rijden. Op een fiets-/bromfietspad maximaal 30 km per uur.

6 C 15 km per uur.

7 Nee Een uitvaartstoet van motorvoertuigen is herkenbaar aan speciale tekens en die mag je niet doorsnijden. Als het eerste voertuig van een rouwstoet van motorvoertuigen is gepasseerd moet je de gehele rouwstoet voor laten gaan.

8 A Het bord B1 betekent: Voorrangsweg.

9 Nee Het bord G13 geeft een onverplicht fietspad aan. Je mag met een bromfiets geen gebruik maken van een onverplicht fietspad. Snorfietsen met een verbrandingsmotor zijn alleen toegestaan met afgezette motor. Snorfietsen met een elektrische motor zijn altijd toegestaan.

10 B Fiets 2. De bestuurder van de auto moet, volgens het verkeersbord en de haaientanden (verleen voorrang aan bestuurders op de kruisende weg) de bestuurders van fiets 1 en fiets 2 voor laten gaan. De bestuurder van de afbuigende fiets 1 moet de bestuur-der van fiets 2 voor laten gaan, omdat deze rechtdoor gaat op dezelfde weg.

11 Nee Bij een rijsnelheid van 40 km per uur heb je met je bromfiets een stopafstand van ongeveer 22 m. Je rijdt te dicht achter je voorligger. Op deze weg kan je (in verband met de vele bomen) ook heel goed de 2-secondenregel toepassen.

12 45 Buiten de bebouwde kom mag een bromfietser, op de rijbaan, 45 km per uur rijden en op een fiets-/bromfietspad buiten de bebouwde kom 40 km per uur.

13 Ja Als je korte tijd na het drinken van een glas alcohol gaat rijden, heb je nog teveel alcohol in je bloed.

14 C Bij nacht en als het zicht overdag ernstig wordt belemmert, bijvoorbeeld door regen of bij zware sneeuwval.

15 Nee Het rechtdoorgaande verkeer op dezelfde weg gaat voor afslaande bestuurders.

16 C Het bord C2 betekent: Eénrichtingsweg, in deze richting gesloten voor voertuigen, ruiters en geleiders van rij- of trekdieren of vee.

17 Ja Op kruispunten van gelijkwaardige wegen moeten bestuurders voorrang verlenen aan de voor hen van rechts komende bestuurders.

18 Nee Het bord C4 geeft een éénrichtingsweg aan. Je moet hier rechtsaf.

19 Nee Het bord C13 geeft een geslotenverklaring aan voor bromfietsen, snorfietsen en gehandicaptenvoertuigen met in werking zijnde motor. Het bord G12a geeft een fiets-/bromfietspad aan. Je moet hier de rijbaan verlaten en het fiets/bromfietspad gebruiken.

20 A Snorfiets, auto 2, auto 1. De bestuurder van de witte auto moet de bestuurders van de snorfiets en de blauwe auto voor laten gaan. Dit wordt bepaald door het verkeersbord en de haaientanden (verleen voorrang aan bestuurders op de kruisende weg). De bestuurder van de afbuigende blauwe auto moet de snorfietser voor laten gaan, omdat deze rechtdoor gaat op dezelfde weg.

21 Ja Daarom gebruik ze niet, zeker niet als je nog aan het verkeer wilt deelnemen.

22 Ja Je mag pas dan wegrijden als je alle verkeer voor laat gaan en vlak voor het wegrijden richting aangeeft.

23 Nee Het bord B1 met onderbord geeft een afbuigende voorrangsweg aan. De dikke zwarte gebogen lijn geeft het verloop van de voorrangsweg aan. De dunne zwarte rechte lijn geeft een zijweg aan. Als je hier de weg naar links volgt, blijf je dezelfde weg volgen en ben je niet verplicht om richting aan te geven. Het is echter voor de duidelijkheid wel beter.

24 C Het soort weg, de conditie van het wegdek, de weersomstandigheden, de dichtheid van het verkeer en het zicht zijn factoren die invloed hebben op de stopafstand.

25	Nee	Je moet voor de overwegbomen stoppen en opstellen. Je mag ook niet op de overwegbomen leunen, omdat dan de goede werking van de beveiligingsinstallatie wordt belemmerd.
26	C	Baken C. Het baken met 3 schuine rode strepen en erboven het bord J10 waarschuwt voor een overweg met overwegbomen over 240 m.
27	Nee	Het rechtdoorgaande verkeer op dezelfde weg gaat voor afslaande bestuurders.
28	A	Als er bij een voetgangersoversteekplaats verkeerslichten in werking zijn gaan deze voor.
29	Ja	Je moet nu links afslaan, omdat de aanwijzing van de verkeersregelaar boven het verkeersbord gaat.
30	A	Auto, snorfiets, motorfiets. De bestuurder van de snorfiets moet de bestuurder van de auto voor laten gaan, omdat deze van rechts komt op een gelijkwaardig kruispunt. De bestuurder van de motorfiets moet de bestuurder van de snorfiets voor laten gaan omdat deze van rechts komt op een gelijkwaardig kruispunt. De bestuurder van de motorfiets moet ook de bestuurder van de auto voor laten gaan, omdat deze rechtdoor gaat op dezelfde weg.
31	Ja	Invoegen is een bijzondere manoeuvre en dan moet je het overige verkeer voor laten gaan.
32	1 m.	Een tweewielige bromfiets mag niet breder zijn dan 1 m.
33	Nee	Tijdens het rijden moet je twee handen aan het stuur houden. Alleen dan kan je veilig aan het verkeer deelnemen.
34	C	De snelheidsmeter. Je moet de snelheid kunnen aflezen.
35	Nee	Op kruispunten van gelijkwaardige wegen moeten bestuurders voorrang verlenen aan de voor hen van rechts komende bestuurders.
36	B	Het waarschuwingsbord J36 betekent: IJzel of sneeuw.
37	Ja	Het bord G12a geeft een fiets-/bromfietspad aan.
38	Ja	Het rechtdoorgaande verkeer op dezelfde weg gaat voor afslaande bestuurders.
39	C	Voor het besturen van een snorfiets, bromfiets of brommobiel is het rijbewijs AM verplicht. Om in het bezit komen van een rijbewijs AM, moet je met voldoende resultaat het theorie-examen en een praktijkexamen afleggen. Er is een apart praktijkexamen voor de brommobiel.

40 C Bromfiets, motorfiets, auto. De bestuurders van de auto en de motorfiets moeten de bestuurder van de bromfiets voor laten gaan. Dit wordt bepaald door het verkeersbord en de haaientanden (verleen voorrang aan bestuurders op de kruisende weg). De bestuurder van de afbuigende auto moet de bestuurder van de motorfiets voor laten gaan, omdat deze rechtdoor gaat op dezelfde weg.

41 Ja Als je van richting wilt veranderen moet je richting aangeven. Op een bromfiets doe je dat met je arm of de richtingaanwijzer.

42 Nee Het bord C2 geeft een éénrichtingsweg aan, in deze richting gesloten voor voertuigen, ruiters en geleiders van rij- of trekdieren of vee.

43 Nee Ook op kruispunten van onverharde gelijkwaardige wegen moeten bestuurders voorrang verlenen aan de voor hen van rechts komende bestuurders.

44 C Het bord A geeft een autosnelweg aan en het bord B geeft een autoweg aan. Het gebruik van een autosnelweg is slechts toegestaan voor bestuurders van motorvoertuigen waarmee met een snelheid van tenminste 60 km per uur kan en mag worden gereden. Op autowegen is dat 50 km per uur. Brommobielen vallen niet onder het begrip motorvoertuigen.

45 Nee Een fietsstrook mag uitsluitend worden gebruikt door fietsers, snorfietsers en bestuurders van gehandicaptenvoertuigen. Bromfietsers moeten hier de rijbaan gebruiken ongeacht hun snelheid.

46 C Je gebruikt ze beide gelijktijdig en je remt gedoseerd.

47 Ja Op oversteekplaatsen met een middenberm of vluchtheuvel mag je opstellen als de lengte van je voertuig niet langer is dan de breedte van de middenberm of vluchtheuvel.

48 Nee Het bord B1 met onderbord geeft een afbuigende voorrangsweg aan. De dikke zwarte gebogen lijn geeft het verloop van de voorrangsweg aan. De dunne zwarte rechte lijn geeft de zijweg aan. Als je op een voorrangsweg rijdt, moeten alle bestuurders die deze weg naderen aan jou voorrang verlenen.

49 Nee Op een glad wegdek is 30 km per uur een te hoge en gevaarlijke snelheid.

50 Nee Tijdens de periode van een ontzegging van de rijbevoegdheid mag je geen enkel motorrijtuig op de openbare weg besturen. Fietsen mag dan wel.

Examen 3

Antwoorden en motivaties

1	Ja	De bromfiets rijdt hier op de rijbaan binnen de bebouwde kom. Het bord geeft een 30 km per uur zone aan. De maximumsnelheid is dan 30 km per uur. Het is wel verstandig om hier heel goed op te letten.
2	A	Auto, bromfiets, motorfiets. De bestuurder van de bromfiets moet de bestuurder van de auto voor laten gaan, omdat deze van rechts komt op een gelijkwaardig kruispunt. De bestuurder van de motorfiets moet de bestuurder van de bromfiets voor laten gaan, omdat deze van rechts komt op een gelijkwaardig kruispunt. De bestuurder van de motorfiets moet ook de bestuurder van de auto voor laten gaan, omdat deze rechtdoor gaat op dezelfde weg.
3	Nee	Om veilig en effectief te kunnen remmen moet je zowel de voorrem als de achterrem gebruiken. Ook op gladde wegen.
4	25	De maximumsnelheid voor een traktor op de openbare weg, is 25 km per uur.
5	Ja	Het bord B6 en de haaientanden op de weg geven hier aan dat je voorrang moet verlenen aan bestuurders op de voorrangsrotonde.
6	Ja	Het verkeer dat de verkeersregelaar van achteren nadert moet stoppen.
7	Ja	Dit kan voor jou daarna nog vele nare gevolgen hebben zoals voor studie, sollicitaties enz. Ook is het mogelijk dat een verzekerings-maatschappij jou niet meer wilt verzekeren.
8	A	Het bord G5 geeft het begin van een erf aan.
9	Ja	Een ruiter die een paard aan de hand meevoert is een geleider van een rijdier en dus ook een bestuurder.
10	C	Bromfiets. tram, auto. De bestuurders van de auto en de tram moeten de bestuurder van de bromfiets voor laten gaan. De bestuurder van de afbuigende tram mag voor de bestuurder van de auto, omdat voor trams een uitzondering geldt op de regel dat rechtdoorgaand verkeer op dezelfde weg voor gaat.
11	Nee	Bromfietsen moeten worden geplaatst op het trottoir, voetpad, in de berm of op andere aangegeven plaatsen zoals een fietsenstalling.
12	45	Op de rijbaan binnen de bebouwde kom, geldt voor bestuurders van bromfietsen een maximumsnelheid van 45 km per uur.

13 Ja Je bent bovendien verplicht medewerking te verlenen.

14 45 Voor bestuurders van brommobielen, geldt zowel binnen als buiten de bebouwde kom, een maximumsnelheid van 45 km per uur.

15 Ja Op kruispunten van gelijkwaardige wegen moeten bestuurders voorrang verlenen aan de voor hen van rechts komende bestuurders.

16 A Bromfietsen mogen een fietspad met bord G11 niet gebruiken.

17 Nee Je mag met een bromfiets geen gebruik maken van een busstrook of een fietsstrook.

18 Ja Bromfietsen moeten worden geplaatst op het trottoir, voetpad, in de berm of op andere aangegeven plaatsen zoals een fietsenstalling.

19 Ja Het bord G12b geeft het einde van een fiets-/bromfietspad aan. Je mag met een bromfiets dit pad gebruiken en na het einde daarvan ook de rijbaan.

20 B Snorfiets, auto, vrachtauto. De bestuurder van de personenauto moet de bestuurder van de snorfiets voor laten gaan omdat deze van rechts komt op een gelijkwaardig kruispunt. De bestuurder van de vrachtauto moet de bestuurder van de personenauto voor laten gaan omdat deze van rechts komt op een gelijkwaardig kruispunt.

21 Ja Voor het rechts afslaan kan je hier het beste rechts voorsorteren en achter de fietser blijven rijden.

22 Ja Het bord F6 betekent: Bestuurders uit tegengestelde richting moeten verkeer dat van deze richting nadert voor laten gaan. Het zich reeds op de smalle doorgang bevindende verkeer mag gewoon zijn weg vervolgen.

23 Nee Je mag je bromfiets niet laten stilstaan op een overweg.

24 A WA verzekering (Wettelijke Aansprakelijkheid) is minimaal verplicht, als je met een bromfiets deel wilt nemen aan het verkeer.

25 Nee Het bord E6 met het onderbord geeft een gehandicaptenparkeerplaats aan, gereserveerd voor het voertuig met het kenteken 52-RK-87. Bromfietsen moeten worden geplaatst op het trottoir, voetpad, in de berm of op andere aangewezen plaatsen zoals een fietsenstalling.

26 B Het bord G7 betekent: Voetpad, hier mag je niet inrijden.

27 Nee Haaientanden geven aan dat je voorrang moet verlenen aan bestuurders op de kruisende weg. Als op het kruispunt geen bestuurders naderen of nog ver verwijderd zijn, hoef je niet te stoppen.

28 Ja Een kruispunt van een onverharde weg met een verharde weg, fietspad of fiets-/bromfietspad is een ongelijkwaardig kruispunt.

29 Ja Het bord G6 geeft het einde van een erf aan. Binnen een erf mogen motorvoertuigen en brommobielen uitsluitend worden geparkeerd op de als zodanig aangeduide of aangegeven voor parkeren bestemde weggedeelten. Bromfietsen zijn geen motorvoertuigen of brommobielen. Omdat in een erf het trottoir, voetpad of berm ontbreken, mag je op alle andere plaatsen je bromfiets plaatsen. Maar natuurlijk wel op een zodanige wijze dat daardoor geen gevaar of hinder ontstaat of dat de doorgang voor andere weggebruikers wordt geblokkeerd.

30 A Auto, snorfiets, motorfiets. De bestuurders van de motorfiets en de auto komen niet met elkaar in conflict. De bestuurder van de snorfiets moet de bestuurder van de auto voor laten gaan, omdat deze van rechts komt op een gelijkwaardig kruispunt. De bestuurder van de afbuigende motorfiets moet de bestuurder van de snorfiets voor laten gaan, omdat deze rechtdoor gaat op dezelfde weg.

31 Nee Het voeren van groot licht is niet toegestaan bij dag, bij het tegenkomen van andere weggebruikers en bij het op korte afstand volgen van een ander voertuig.

32 C Het waarschuwingsbord J23 (bord C) betekent: Voetgangers. De andere twee borden hebben betrekking op een voetgangersoversteekplaats.

33 Nee De verkeerszuil met bord D2 geeft aan dat alle bestuurders onder alle omstandigheden rechts voorbij moeten gaan.

34 2,00 m.

35 C Het laatste voertuig van een militaire colonne moet voorzien zijn van één groene vlag en één groen koplicht.

36 A Bord C3 betekent: Eénrichtingsweg.

37 Nee De verkeersregelaar geeft een teken tot snelheid verminderen.

38 Nee Bromfietsers mogen een z.g.n. OFOS (Opgeblazen Fiets Opstel Strook) niet gebruiken. Fietsers, snorfietsers en bestuurders van gehandicaptenvoertuigen mogen dit wel.

39 C Beiden zijn aansprakelijk. Je mag een bromfiets niet opvoeren, daarvoor ben je als eigenaar aansprakelijk. Je mag met een voertuig, dat niet aan de wettelijke eisen voldoet, niet deelnemen aan het verkeer. Hiervoor ben je als bestuurder aansprakelijk.

40 B Vrachtauto, snorfiets, auto. De bestuurder van de vrachtauto en de bestuurder van de personenauto komen niet met elkaar in conflict. De bestuurder van de snorfiets moet de bestuurder van de vrachtauto voor laten gaan. De bestuurder van de personenauto moet de bestuurder van de snorfiets voor laten gaan omdat deze van rechts komt op een gelijkwaardig kruispunt.

41 Ja Je moet bij alle belangrijke zijdelingse verplaatsingen en bij het veranderen van rijstrook richting aangeven.

42 Ja Het bord B6 en de haaientanden op de weg geven hier aan dat je voorrang moet verlenen aan bestuurders op de kruisende weg.

43 Nee Je mag een voertuig niet inhalen als je daarvoor een doorgetrokken streep moet overschrijden.

44 C Een op de rijbaan geplaatste gevarendriehoek, geeft een stilstaand voertuig aan dat een obstakel vormt. Je moet er in ieder geval rekening mee houden dat er een voertuig met pech gedeeltelijk, of helemaal op de rijbaan staat.

45 Nee Als een trein de overweg nadert gaan eerst de rode lichten knipperen en gaat de bel rinkelen daarna dalen de overwegbomen. Je bent verplicht te stoppen voor de overweg.

46 Ja Je moet blinden, voorzien van een witte stok met één of meer rode ringen, en alle personen die zich moeilijk voortbewegen, voor laten gaan.

47 Nee Motorvoertuigen van politie, brandweer, ambulances en andere officieel aangewezen hulpverleningsdiensten zijn dan pas voorrangsvoertuigen als zij gebruik maken van de voorgeschreven signalen. Deze signalen bestaan uit blauwe zwaai- flits- en/of knipperlichten en een twee- of drietonige hoorn.

48 A Bij bord C1 moet je meestal van richting veranderen. Het bord betekent: Gesloten in beide richtingen voor voertuigen, ruiters en geleiders van rij- of trekdieren of vee.

49 Ja Bromfietsen moeten worden geplaatst op het trottoir, voetpad, in de berm of op andere aangegeven plaatsen zoals een fietsenstalling.

50 Nee Je moet een goedgekeurde en goed passende helm dragen die door middel van een sluiting deugdelijk en op de voorgeschreven wijze op je hoofd is bevestigd.

Examen 4

Antwoorden en motivaties

1	Nee	Het bord E2 geeft hier voor de rechterzijde van de weg een verbod stil te staan aan. Om naar de weg te vragen ben je vrijwillig stil gaan staan.
2	B	Auto, fiets, snorfiets. De bestuurder van de personenauto en de bestuurder van de snorfiets komen niet met elkaar in conflict. De bestuurder van de fiets moet de bestuurder van de personenauto voor laten gaan. De bestuurder van de snorfiets moet de bestuurder van de fiets voor laten gaan, omdat deze van rechts komt op een gelijkwaardig kruispunt.
3	B	Het begrip voorrang houdt in dat je andere bestuurders voor laat gaan en in staat stelt ongehinderd hun weg te vervolgen.
4	Ja	Het bord B6 en de haaientanden op de weg geven hier aan dat je voorrang moet verlenen aan bestuurders op de voorrangsrotonde.
5	A	Het waarschuwingsbord J1 betekent 'Slecht wegdek' en waarschuwt je voor een rijbaan die ernstige gebreken vertoont.
6	Ja	Het rechtdoorgaand verkeer op dezelfde weg gaat voor afslaande bestuurders.
7	Nee	Het bord B6 en de haaientanden op de weg geven aan dat je voorrang moet verlenen aan bestuurders op de kruisende weg. Voetgangers zijn geen bestuurders.
8	Ja	Het verkeer dat de verkeersregelaar van rechts nadert moet stoppen.
9	Nee	Je mag een militaire colonne niet doorsnijden.
10	B	Auto, snorfiets, motorfiets. De bestuurder van de personenauto en de bestuurder van de motorfiets komen niet met elkaar in conflict. De bestuurder van de snorfiets moet de bestuurder van de personenauto voor laten gaan en de bestuurder van de motorfiets moet de bestuurder van de snorfiets voor laten omdat deze van rechts komt op een gelijkwaardig kruispunt.
11	Nee	Tijdens een stop, zoals bij gesloten overwegen, geopende bruggen en files, waar je langer moet wachten dan 1 minuut, moet je de motor afzetten. Je mag ook nooit met draaiende motor met het gas spelen, want bestuurders van een motorvoertuig, bromfietsers en snorfietsers mogen met hun voertuig geen onnodig geluid veroorzaken.

12 12 uur Er kan sprake zijn van een ongeval waarin gewonden niet in hulpeloze toestand worden achtergelaten. In dat geval heeft degene die de plaats van het ongeval heeft verlaten 12 uur de tijd zich vrijwillig bij de politie te melden. Voorwaarde is wel dat je daarvoor niet door de politie bent aangehouden.

13 C Het bord D3 betekent: Bord mag aan beide zijden worden voorbijgegaan.

14 Nee Het witte bord met de rode bromfiets en de rode pijl verwijst bromfietsers naar het fiets-/bromfietspad.

15 Nee Het is bestuurders van motorvoertuigen en gehandicaptenvoertuigen voorzien van een motor en brom- en snorfietsen verboden om tijdens het rijden een mobiele telefoon vast te houden. SMS-en mag dus ook niet.

16 B De borden D1 en D5 hebben beide betrekking op het volgen van een verplichte rijrichting. Het bord D1 betekent: Rotonde, verplichte rijrichting. Het bord D5 betekent: Gebod tot het volgen van de rijrichting die op het bord is aangegeven.

17 Nee Bij het tegenkomen van andere weggebruikers moet jij en het tegemoetkomende verkeer, indien nodig, zover naar rechts uitwijken dat er voldoende zijdelingse afstand blijft.

18 Nee Voor het rechts afslaan kan je hier het beste rechts voorsorteren en achter de fietser blijven rijden.

19 Nee In die gevallen mag je wel door rood rijden, maar moet je het overige verkeer voor laten gaan.

20 A Fiets. De bestuurder van de auto moet, volgens het verkeersbord en de haaientanden (verleen voorrang aan bestuurders op de kruisende weg) de bestuurders van de fiets en de bromfiets voor laten gaan. De bestuurder van de afbuigende bromfiets moet de bestuurder van de fiets voor laten gaan, omdat deze rechtdoor gaat op dezelfde weg.

21 Ja Bromfietsen moeten worden geplaatst op het trottoir, voetpad, in de berm of op andere aangegeven plaatsen zoals een fietsenstalling.

22 B Het bord F6 betekent: Bestuurders uit tegengestelde richting moeten verkeer dat van deze richting nadert voor laten gaan.

23	Ja	Om de rijbaan te verlaten naar het fiets-/bromfietspad is een speciale strook en verbindingspad aangelegd zodat je veilig kunt voorsorteren.
24	A	Een gewonde in hulpeloze toestand achterlaten is een misdrijf.
25	C	Een landbouwvoertuig heeft vaak scherpe en uitstekende delen. Ze rijden met lage snelheid en zij vervuilen soms de rijbaan met modder of mest.
26	C	Het bord H1 betekent: Bebouwde kom.
27	C	Je bent verplicht deze cursus op eigen kosten te volgen en daarvoor te slagen, anders word je rijbewijs ongeldig verklaart en moet je opnieuw rijexamen doen.
28	Ja	Het bord C3 met onderbord geeft een éénrichtingsweg aan, uitgezonderd voor fietsen, bromfietsen en gehandicaptenvoertuigen.
29	Nee	Op tweerichtingsfietspaden en fiets-/bromfietspaden moet je normaal gesproken in het midden op de rechterrijstrook rijden.
30	C	Auto, fiets, snorfiets. De bestuurders van de personenauto en de snorfiets komen niet met elkaar in conflict. De bestuurder van de fiets moet de bestuurder van de personenauto voor laten gaan omdat deze van rechts komt op een gelijkwaardig kruispunt. De bestuurder van de snorfiets moet de bestuurder van de fiets voor laten gaan omdat deze van rechts komt op een gelijkwaardig kruispunt.
31	Nee	Je mag de auto hier niet rechts inhalen omdat bromfietsers alle bestuurders (behalve bij de uitzonderingen) links in moeten halen.
32	B	Een zigzagstreep waarschuwt je ervoor dat je een gevaarlijk punt nadert. Het is de bedoeling dat je sterk je snelheid vermindert.
33	Nee	Op de rijbaan rijd je mee tussen het andere verkeer zonder al teveel rechts te rijden. Dit om te voorkomen dat andere bestuurders naast je gaan rijden.
34	C	Bestuurders zijn alle weggebruikers behalve voetgangers.
35	Ja	Bepaalde geneesmiddelen kunnen de rijvaardigheid ongunstig beïnvloeden. Lees de bijsluiter en let op de sticker.
36	B	De borden L3 staan bij een bus- of tramhalte. Je moet rekening houden met afremmende en wegrijdende autobussen en trams, in- en uitstappende passagiers en haastige voetgangers.

37 Ja Een koetsier bestuurt de paarden met wagen.

38 Ja Bromfietsers moeten midden op de rijbaan tussen het overige verkeer rijden en opstellen.

39 Nee Het rechtdoorgaande verkeer op dezelfde weg gaat voor afslaande bestuurders.

40 A Snorfiets. De bestuurders van de motorfiets en de auto moeten op deze gelijkwaardige kruising de, van rechts naderende en rechtdoorgaande, bestuurder van de snorfiets voor laten gaan. De bestuurder van de auto moet de van rechts naderende bestuurder van de motorfiets voor laten gaan.

41 Ja Voor bromfietsers geldt binnen en buiten de bebouwde kom een maximumsnelheid van 45 km per uur op de rijbaan.

42 Nee Op de rijbaan naast een fietsstrook geldt een verbod stil te staan. Bromfietsen moeten worden geplaatst op het trottoir, voetpad, in de berm of op andere aangegeven plaatsen zoals een fietsenstalling.

43 Ja Je mag inhalen. De auto sorteert voor en geeft richting aan om de rotonde te willen verlaten. Echter is het verstandiger om achter de afslaande auto te blijven rijden totdat deze de rotonde verlaten heeft.

44 B Bord J7 betekent: Gevaarlijke daling.

45 Ja Je mag met een bromfiets gebruik maken van de berm.

46 A De meeste druk tijdens het remmen komt op de voorwielen.

47 Nee Een fietsstrook mag uitsluitend worden gebruikt door fietsers, snorfietsers en bestuurders van gehandicaptenvoertuigen. Bromfietsers moeten de rijbaan gebruiken.

48 19.8 m. De helft van de gereden snelheid in meters + 10% of een tussenafstand van tenminste 2 seconden.

49 Nee Als een rem onvoldoende of geen remkracht levert, mag je met dat voertuig niet gaan rijden. Logisch, het is levensgevaarlijk als je niet tijdig kunt stoppen als dit nodig is.

50 Nee Je moet met oprijden wachten totdat de overwegbomen geheel omhoog zijn, het belgerinkel is gestopt en de rode knipperlichten zijn gedoofd.

Examen 5

Antwoorden en motivaties

1 Ja Door het niet meewerken aan een alcoholcontrole pleeg je een misdrijf.

2 A Vrachtauto, auto snorfiets. De bestuurder van de auto moet de bestuurder van de vrachtauto voor laten gaan omdat deze van rechts komt op een gelijkwaardig kruispunt. De naar links afbuigende bestuurder van de snorfiets moet de bestuurder van de auto voor laten gaan.

3 B Bord B is een wegwijzer voor fietsers en bromfietsers (stapelbord), met interlokale doelen en een via een alternatieve route te bereiken doel (cursief in groen). Bord A is een wegwijzer voor fietsers en bromfietsers (handwijzer), met lokaal doel, interlokaal doel, stedelijk fietsroutenummer (boven) en met interlokale doelen en interlokaal fietsroutenummer (onder).

4 C Beiden. Bestuurders van een brommobiel en van een bromfiets mogen op de rijbaan 45 km per uur rijden.

5 Nee Op kruispunten van gelijkwaardige wegen moeten bestuurders voorrang verlenen aan de voor hen van rechts komende bestuurders.

6 Ja Het verkeersbord C8 betekend, gesloten voor motorvoertuigen die niet sneller kunnen of mogen rijden dan 25 km per uur.

7 Ja Het bord G6 geeft het einde van een erf aan. De uitgang van het erf is hier door een doorlopend trottoir uitgevoerd als uitrit. Als je vanuit een uitrit de weg wilt oprijden, moet je alle weggebruikers voor laten gaan.

8 C Met dit bord wordt aangeduid dat het oversteken van voetgangers en kinderen wordt geregeld door aanwijzingen van verkeersbrigadiers. Je moet deze aanwijzingen opvolgen.

9 A Bord A: Dit onderbord geeft aan dat het erboven geplaatste bord geldt over de aangegeven wegvaklengte.
Bord B: Dit onderbord geeft aan dat het erboven geplaatste bord over de aangegeven afstand in werking treedt.

10 C Vrachtauto, auto, bromfiets. Voor de bestuurder van de bromfiets geldt bord F5 (verbod voor bestuurders door te gaan bij nadering van verkeer uit tegengestelde richting). De bestuurder van de personenauto moet de bestuurder van de vrachtauto voor laten gaan omdat deze van rechts komt op een gelijkwaardig kruispunt.

11 B De maximumsnelheid voor een brommobiel is 45 km per uur

12 2 zitplaatsen.

13 Nee Bromfietsers moeten midden op de rijbaan tussen het overige verkeer rijden en zich daar ook opstellen.

14 B Drempels.

15 Nee Een bromfietser en een fietser mogen niet naast elkaar rijden. Bovendien is het gevaarlijk om tijdens het rijden elkaar vast te houden.

16 A Dit bord dient als aanduiding voor een oversteekplaats om de hoek.

17 C Op het politiebureau wordt meestal met een ademanalyse-apparaat een ademtest gedaan. In uitzonderlijke gevallen een bloed- of urineonderzoek.

18 Nee Bij een bijzondere manoeuvre, zoals de doorgaande rijbaan oprijden, moet je het overige verkeer voor laten gaan.

19 A Het Europese alarmnummer is 112.

20 B Bromfiets, tram, auto. De bestuurders van de auto en de tram moeten de bestuurder van de bromfiets voor laten gaan. De bestuurder van de afbuigende tram mag voor de bestuurder van de auto, omdat voor trams een uitzondering geldt op de regel dat rechtdoorgaand verkeer op dezelfde weg voor gaat.

21 Nee Op deel 1A staan de technische gegevens van de bromfiets.

22 C Alleen op fietsstroken gemarkeerd met een onderbroken streep.

23 Nee Het bord L9 geeft een vooraanduiding van een doodlopende weg aan.

24 Nee De verkeersregelaar geeft een stopteken voor het verkeer in de vrije richtingen. Opletten voor het verkeer in de stopgezette richtingen. Kruispunt vrijmaken.

25 Nee De amazonezit (beide benen aan één kant) is verboden. De voeten van de passagier moeten aan weerszijden van de bromfiets rusten op de voetsteunen.

26 A Bord A (J10) staat bij een overweg met overwegbomen, bord B (J11) staat bij een overweg zonder overwegbomen.

27 Ja Het bord C3 geeft een éénrichtingsweg aan. Op éénrichtingswegen kan voor links afslaan in de meeste gevallen het beste uiterst links worden voorgesorteerd.

28 Nee Je moet een goedgekeurde en goed passende helm dragen die door middel van een sluiting deugdelijk en op de voorgeschreven wijze op het hoofd is bevestigd.

29 Nee Haaientanden geven aan dat je voorrang moet verlenen aan bestuurders op de kruisende weg. Onder het begrip verkeer vallen ook voetgangers en die hoef je bij haaientanden, bij bord B6 en bij bord B7, geen voorrang te verlenen.

30 A Auto, fiets, snorfiets. De bestuurder van de fiets moet de bestuurder van de auto voor laten gaan omdat deze van rechts komt op een gelijkwaardig kruispunt. De bestuurder van de snorfiets moet de bestuurder van de fiets voor laten gaan omdat deze van rechts komt op een gelijkwaardig kruispunt.

31 Ja Ondanks dat je hier rechtsaf moet slaan, moet je toch rechts richting aangeven.

32 B Het bord F5 betekent: Verbod voor bestuurders door te gaan bij nadering van verkeer uit tegengestelde richting.

33 Nee In een erf mogen uitsluitend motorvoertuigen en brommobielen parkeren op de als zodanig aangeduide of aangegeven, voor parkeren, bestemde weggedeelten.

34 A Kijk naar het punt waar je uit wilt komen.

35 Ja Het keurmerk is de garantie dat de helm voldoet aan bepaalde voorwaarden.

36 C Op bestuurders van inhalende voertuigen op de kruisende weg.

37 B Zorg dat je in het verkeer zichtbaar bent voor andere verkeersdeelnemers en dat je zelf zicht op het overige verkeer hebt. Blijf niet langer dan nodig in een dode hoek rijden.

38 C Je mag hier laden of lossen of een passagier op of af laten stappen.

39 Ja Ook op kruispunten van onverharde, gelijkwaardige wegen moeten bestuurders voorrang verlenen aan de voor hen van rechts komende bestuurders.

40 A Motorfiets, auto, bromfiets. De bestuurder van de motorfiets en de bestuurder van de bromfiets komen niet met elkaar in conflict. De bestuurder van de bromfiets moet de bestuurder van de personen-auto voor laten gaan omdat deze van rechts komt op een gelijkwaar-dig kruispunt. De bestuurder van de auto moet de bestuurder van de motorfiets voor laten gaan omdat deze zijn weg kruist, de korte bocht gaat voor lange bocht.

41 Nee Zo kan je nooit goed gedoseerd de rem aanleggen en de druk van de rem verhogen. Je moet met alle vingers de remhendels bedienen.

42 C Begeleiders van een railvoeruig en daartoe bevoegde en als zodanig herkenbare verkeersbrigadiers mogen je laten stoppen.

43 Ja Het rechtdoorgaande verkeer op dezelfde weg gaat voor afslaande bestuurders. Dat geldt ook voor een rechtdoorgaande bromfietser op een langs de rijbaan vrijliggend fiets/bromfietspad.

44 C Om samen met bord B1 een afbuigende voorrangsweg of samen met bord B3, B4 of B5 een afbuigend voorrangskruispunt aan te geven.

45 A Aan beide zijden van de weg mag je op het trottoir je bromfiets plaatsen.

46 Nee Je mag nooit doorrijden als je geen voorrang krijgt, want je mag geen voorrang nemen!

47 Nee Op kruispunten van gelijkwaardige wegen moet je voorrang verle-nen aan bestuurders van trams van links en van rechts.

48 Ja Het bord G6 geeft het einde van een erf aan. De uitgang van het erf is hier door een doorlopend trottoir uitgevoerd als uitrit. Als je van-uit een uitrit de weg wilt oprijden, moet je alle weggebruikers voor laten gaan.

49 A De bermen behoren bij de weg.

50 Ja Het bord F1 geeft een inhaalverbod aan voor motorvoertuigen om elkaar onderling in te halen. Een bromfiets is geen motorvoertuig en mag worden ingehaald.

NOTITIES